KB091954

논·술·세·계·대·표·문·학

13

라일락꽃 피는 집

루이자 메이 올콧 | 김정식 엮음

훈민출판사

메이자 루이 올콧

〈라일락꽃 피는 집〉에서 주인공 벤은 어린 소년인데도 말과 마차를 몰 줄 안다.

The Best World Literature

라일락꽃 – 〈라일락꽃 피는 집〉은 라일락꽃이 피어 있는 집의 마당에서 전개되는 잔잔하고 아름다운 이야기로 구성되어 있다.

미국 오리건 주의 한 호수 – 〈라일락꽃 피는 집〉은 미국 시골 마을이 배경이다.

미국 오리건 주의 시골

미국 자연사 박물관

미국 시애틀의 아름다운 풍경

〈라일락꽃 피는 집〉에 나올 것 같은 미국의 한 아름다운 마을

미국 뉴욕의 센트럴파크

The Best World Literature

춤을 추고 있는 미국의 어린이들 — 〈라일락꽃 피는 집〉의 내용은 어린이들의 순진무구한 감성과 따뜻한 우정을 그리고 있다.

미국 뉴욕에서 벌어진 거리 축제

구인환(丘仁煥)

서울대학교 사범대학 졸업. 동 대학원 졸업(문학박사)
서울대학교 명예교수, 소설가(현). 서울대학교 사범대학 국어교육연구소 소장(현)
문학과문학교육연구소 소장(현). 국제펜 한국본부 부회장(현)
한국소설문학상(1987). 예술문화대상(1994). 한국문학상(2000)
작품 〈숨쉬는 영정〉, 〈살아 있는 날들〉, 〈일어서는 산〉 외 다수

- **저서** 《한국단편소설의 이해》, 《한국현대소설의 비평적 성찰》,
 《고교생이 알아야 할 소설》, 《고교생이 알아야 할 세계단편소설》 외 다수

기획 • 감수

윤병로(尹柄魯)

성균관대학교 국어국문학과 졸업. 동 대학원 졸업(문학박사)
성균관대학교 교수, 문학평론가(현). 한국현대소설학회장(현)
한국문예학술저작권협회 이사(현). 한국간행물윤리위원회 위원(현)
한국펜 문학상(1987). 한국문학상(1988). 대한민국문학상(1989)
수필집 《나의 작은 애인들》 외 다수

- **저서** 《현대 작가론》, 《한국 현대 소설의 탐구》,
 《한국 근대 작가 작품 연구》, 《한국 현대 작가의 문제작 평설》 외 다수

홍성암(洪性岩)

고려대학교 국어국문학과 졸업. 한양대학교 대학원 국어국문학과 졸업(문학박사)
동덕여자대학교 교수, 소설가(현). 한국문인협회 회원(현)
한국소설가협회 이사(현). 국제펜 한국본부 소설분과 이사(현). 한민족 문화학회 회장(현)
창작집 《큰 물로 가는 큰 고기》, 《어떤 귀향》 외
대하역사소설 《남한산성》 (전9권) 외 다수

- **저서** 《문학의 이해》, 《현대 작가론》, 《한국 근대 역사소설 연구》 외 다수

〈라일락꽃 피는 집〉에서 강아지 산초는 벤에게
특별한 존재이다.

논술 세계대표문학을 펴내며

21세기의 사회는 **'전자 문명 시대'** 라 일컬어질 만큼 오늘날 전자 산업은 우리 생활의 거의 모든 분야에 다양하게 응용되고 있습니다. 출판 분야 또한 예외는 아니어서, 종래의 서책(Book) 대신에 이른바 '전자책(CD-ROM)'의 출간이 최근 들어 날로 증가하고 있습니다.

그러나 이러한 전자책은 영상 또는 모니터상으로 흥미 위주나 백과사전식 지식을 습득하는 데는 효과적일지 모르지만, 문학 공부를 위해서는 별로 도움이 되지 않습니다. 바꾸어 말하면, 문학 공부는 각 지면마다 살아 숨쉬는 표현 하나하나를 독자 자신의 머리로 음미하면서 작품을 읽어 나가는 가운데, 풍부한 상상력의 배양과 함께 작가의 의도와 그 작품의 내면을 깊이 있게 이해함으로써 이루어지는 것입니다.

이에 훈민출판사에서는, 자라나는 학생들이 범람하는 영상 매체에 길들여지기 전에, 어려서부터 유명한 세계문학 작품들을 책자를 통하여 감명 깊게 읽고 감상함으로써, 올바른 문학 공부의 기틀을 다지고, 아울러 전인 교육도 할 수 있도록 《논술 세계대표문학(전60권)》을 펴내게 되었습니다.

작품 선정은, 초 · 중 · 고등학교 국어 교과서와 역사 교과서에 실리거나 소개된 문학 작품을 중심으로 하되, 그리스 신화와 성경 이야기 등의 고전에서부터 중세 · 근대 · 현대에 이르기까지 세르반테스 · 셰익스피어 · 톨스토이 등 세계 유명 작가들의 장 · 단편 소설들을 엄선 · 수록하였습니다. 또 세계의 명시도 별권으로 엮었으며, 특히 각 단락마다 **'논술 문제'** 를 제시하여, 장차 대학입시를 비롯한 각종 '논술 고사'에 예비 지식을 쌓을 수 있도록 배려하였습니다. 아무쪼록, 이 《논술 세계대표문학(전60권)》이 자라나는 학생들에게 문학 공부의 주춧돌이 되고, 나아가 미래를 살아가는 데 **정신적 자양분**이 되기를 진심으로 바라 마지않습니다.

훈민출판사

차례

올 콧

지은이

1832~1888년. 미국 펜실베니아 주 저먼타운에서 출생. 보스턴과 콩코드에서 어린 시절을 보냈다. 저명한 교육자였던 아버지의 영향으로 일찍부터 정치와 사회 개혁에 대한 관심이 많았다. 아버지의 사업 실패로 어린 시절을 가난하게 보내야 했으므로, 재봉사, 가정부, 교사로 일하며 집안의 생계를 도왔는데, 남북 전쟁이 일어나자 연합군 측의 간호사로 일하기도 했다.
첫 작품은 교사로 있을 때 아이들에게 들려주었던 요정들의 이야기를 모은 것이었다. 그 후에 한 출판업자의 제의로 쓰게 된 것이 〈작은 아씨들〉이다. 그 외에도 〈라일락꽃 피는 집〉, 〈병원 이야기〉, 〈조의 소년들〉 등의 작품을 썼다.

라일락꽃 피는 집

춤추는 개

세월의 흔적이 느껴지는 집 한 채가 있다. 우거진 느티나무가 마치 가로수처럼 보이는 길가에 있는 그 집은, 벌써 몇 년째 문이 굳게 닫혀 있었다. 그런데도 간혹 문틈으로 사람들의 이야기 소리가 흘러나오는 것을 보면 아무도 없는 집 같지는 않다. 그 집 담 위로 가지를 뻗은 라일락은 지나가는 바람에 몸을 흔들며 이렇게 소곤거리는 듯했다.

'나는 굉장히 재미있는 이야기를 많이 알고 있어요. 원한다면 해 드릴 수도 있는데…….'

집 안에서 무슨 일이 일어나는지 궁금한 듯, 문밖에 있는 담쟁이덩굴은 창살 밑까지 뻗어 올라가려고 애를 썼다. 만약 담쟁이덩굴이 옛 이야기 속의 콩나물처럼 쑥쑥 자라, 6월 어느 날 그 집 안을 들여다보았더라면 참으로 재미있는 광경을 볼 수 있었을 것이다. 그 때 막 신나는 파티가 열리려 하고 있었으니까.

정문에서 현관까지의 길에는 납작한 돌들이 깔려 있었다. 그 길 양쪽에 여러 종류의 나무가 빽빽이 들어차 있었는데, 그 가운데쯤에 나무 기둥을 세우고 그 위에 널빤지를 얹은 식탁이 놓여 있었다. 그렇게 만든 식탁 위에는 낡은 체크 무늬 숄이 덮여 있고, 예쁜 커피 잔도 놓여 있었다. 빨리 파티가 시작되기를 기다리고 있는 듯했다.

그런데 잘 보면 이상한 사실을 발견할 수 있다. 커피 포트에는 꼭지가 없고, 크림 단지의 손잡이도 보이지 않았다. 또 설탕 단지는 뚜껑이 없고, 찻잔과 접시도 하나같이 금이 가거나 이가 빠져 제대로 된 것이 없었다. 하지만 파티에 자주 참석하는 점잖은 손님이라면 그런 일에 기분 나쁜 내색을 하지는 않을 것이다.

다행히도 이 파티에 참석한 손님들은 다 점잖아 보인다. 길을 사이에 두고 왼쪽에 일곱 개, 오른쪽에 여섯 개의 의자가 마련되어 있는데, 그 위에 앉은 손님들은 사실 모두 인형들이었다.

인형들은 오랜 세월이 흐르면서 때가 타 꼬질꼬질해지고 군데군데 부러지기도 하여, 고생을 한 흔적이 엿보였다. 마치 환자 인형들이 병원에서 차를 마시며 자기 차례를 기다리는 것처럼 보였다. 그러나 인형들은 분명히 병원에 온 환자가 아니라 파티에 초대받은 손님들이었다. 그들이 입고 있는 옷을 살펴보면, 나름대로 정성스럽게 단장했다는 것을 짐작할 수 있었다.

의자에 앉은 인형들말고 현관문의 손잡이에도 인형 하나가 매달려 있었다. 붉은 깃을 단 노란색 포플린 원피스에 파란 구두를 신고, 멋지게 말아올린 머리에는 꽃이 달린 라일락 가지를 십자로 엮어 관처럼 쓰고 있는 인형이었다. 사실 오늘은 이 금빛 머리카락의 미인인 벨린다 양의 일곱 번째 생일이다. 그러니까 다른 인형들은 그녀의 생일 축하 파티에 참석한 것이다.

인형들은 얌전하게 앉은 채 얼른 파티가 시작되기만 기다리고 있었다. 반짝이는 스물다섯 개의 눈동자는 식탁 쪽을 곁눈질하지도 않고, 살그머니 손을 뻗어 차려 놓은 음식을 품위 없이 집어 먹지도 않았다. 다만 그들은 벨린다의 생일을 축하할 생각에 가슴을 두근거리며 앉아 있을 뿐이었다. 그런데 인형 눈이 왜 스물여섯 개가 아니고 스물다섯 개냐 하면, 네덜란드 인형인 한스의 구슬로 된 검은 눈 한 개가 어디론가 빠져 달아났기 때문이다.

오늘의 주인공인 벨린다도 다른 인형들과 마찬가지로, 아니 그보다 훨씬 더 가슴이 두근거렸다. 손잡이에 매달려 있는 것이 부끄럽지 않고 오히려 자랑스러워, 톱밥이 잔뜩 든 가슴이 있는 대로 부풀어 금방이라도 터질 듯했다.

부드러운 바람이 벨린다의 노란 원피스 자락을 스치며 지나갔다. 벨린다는 마치 춤을 추는 것처럼 몸을 흔들며 파란 구두를 신은 발로 문을 가볍게 두드렸다.

그렇게 인형 손님들이 기다리고 있을 때, 숲 사이에서 두 소녀가 나타났다. 한 아이는 바구니를, 다른 아이는 작은 주전자를 들고 있었는데, 생김새가 비슷하여 쌍둥이 같아 보였다. 그러나 쌍둥이는 아니고, 키가 조금 더 큰 쪽이 언니 뱁, 작은 쪽은 그보다 한 살 아래인 동생 베티다.

둘 다 낡은 듯한 갈색 포플린 원피스를 입고 있었는데, 그 위에 깨끗하게 빨아서 손질한 핑크색 앞치마를 두르고, 회색 양말에 회색 구두를 신고 있었다.

두 아이 다 정말 귀엽게 생겼다. 머리는 뒤로 땋아 내리고, 동그란 얼굴은 햇볕에 타서 가무스름하고, 두 볼은 사과처럼 빨갰다. 콧날은 약간 위로 치켜올려지고, 콧등에는 주근깨가 흩뿌린 듯하고, 반짝이는 눈에는 정말 즐겁다는 기색이 엿보였다.

"다들 정말 얌전한데!"

뱁이 인형들을 둘러보며 마치 엄마같이 말했다.

"그래, 언니. 그런데 그 중에서도 벨린다가 가장 의젓해 보여."

베티는 들고 있던 바구니를 내려놓고 달려가 벨린다를 껴안아 주었다.

"이러다가 과자가 다 식겠는걸. 아, 어쩌면 이렇게 냄새가 좋을까!"

뱁이 말했다.

그 소리에 베티는 벨린다를 놓아 두고 얼른 뛰어왔다. 그리고 먹음직스럽게 구운 과자에 코를 대고 달착지근한 냄새를 깊이 들이마셨다. 과자 윗부분에는 마치 술 취한 사람이 쓴 것처럼 삐딱하게 새겨진 B(비)자가 있었다. 벨린다의 첫 자였다.

"이건 엄마가 맨 나중에 새긴 거야. 어차피 벨린다에게 줄 거니까 비뚤어졌어도 상관없어."

베티가 신이 난 얼굴로 말했다.

사실 오늘 파티의 주인공은 벨린다이고, 베티는 바로 벨린다의 주인이니 신이 나는 것도 무리가 아니었다.

"다들 식탁 앞에 모여 앉게 해야겠지?"

뱁은 꼬마 손님들을 모으느라 이리저리 뛰어다녔다. 베티도 언니를 도와 인형들을 식탁 앞에 앉히느라 애썼다. 다리 하나가 없는 것도 있고, 또 팔이 구부려지지 않는 것도 있어 제대로 앉히는 데만도 힘이 들었다.

그 일이 끝나자, 뱁과 베티는 준비가 잘 되었는지 몇 걸음 떨어져 두루 살펴보았다. 벨린다는 오늘의 주인공답게 새침한 얼굴로 가운데 자리에 앉아 있고, 그 양쪽으로 손님들이 나란히 앉아 있었다.

뱁이 만족스러운 듯 고개를 끄덕였다.

"이 정도면 괜찮은 것 같아. 그런데 우유가 좀 모자라네. 엄마가 조금밖에 안 주셨잖아. 우유가 너무 진하면 아이들이 배탈이 날지도 모르니까, 물을 타야겠어."

"잠시만 쉬었다가 물을 뜨러 가자, 언니. 파티 준비를 하느라 뛰어다

녀서 그런지 다리가 아프네."
그러면서 베티는 문 앞 돌층계에 앉아 다리를 쭉 뻗었다.
뱁도 베티 옆에 나란히 앉으며 문득 생각난 듯이 말했다.
"참, 엄마가 며칠 내로 집 안을 한 바퀴 둘러보신다고 했는데……. 이번엔 우리가 따라다녀도 괜찮다고 하셨어."
그 말에 베티가 반색을 했다.
"그게 정말이야? 엄마가 집안을 둘러보는 동안 나는 책이 있는 방에 들어가 봐야지. 책구경을 하다가 한 권쯤은 읽을 수도 있을 거야. 읽고 나서 언니한테도 이야기해 줄게."
베티는 책 읽는 것을 좋아했지만, 새 책을 사 볼 형편은 못 되었다.
"베티, 난 책보다 다락방에 있는 물레가 보고 싶어. 또 큰 그림이랑 파란 상자에 든 옷도. 내 마음대로 그런 걸 가지고 놀 수 있으면 얼마나 좋을까……. 정말 속상해."
뱁은 화가 난 듯 현관 문을 발로 탁 찼다.
바로 그 때, 어디선가 킬킬거리는 소리가 들렸다.
"왜 웃는 거야? 내 말이 그렇게 우스워?"
베티를 노려보며 뱁이 소리쳤다.
"내가 언제 웃었다고 그래?"
베티는 펄쩍 뛰었다.
"분명히 웃는 소리가 들렸어."
"난 정말 안 웃었다니까."
"거짓말 마. 웃었잖아. 내 두 귀로 똑똑히 들었는걸."
"거짓말 아니라니까. 자꾸 그러면 벨린다 데리고 그냥 가 버릴 거야."
"가고 싶으면 가! 그럼 나 혼자 과자 다 먹어 버릴 거야."
"안 돼! 그 과자는 엄마가 벨린다 주라고 하셨잖아. 언니는 초대받아

온 손님이야. 언니 때문에 파티고 뭐고 다 집어치울 거야."

그 말에는 뱁도 꼼짝 못했다.

"아기들 앞에서 싸우지 말자. 엄마가 비올 때는 마차간에 가서 놀아도 좋다고 하셨는데……."

베티의 표정이 금방 환해졌다.

"그게 정말이야, 언니? 마차는 먼지와 거미줄투성이일 테지만, 그래도 좋아."

"자, 어서 물이나 뜨러 가자."

두 소녀는 말다툼을 그치고, 양동이를 들고 우물가로 갔다. 그런데 이 꼬마 엄마들은 인형 아기들을 지나치게 믿었던 모양이다.

잠시 후, 양동이에 물을 가득 떠 가지고 돌아온 두 소녀는 눈을 동그랗게 떴다. 인형들은 이리저리 넘어지고, 과자는 바구니째 어디론지 없어지는 등, 파티를 열려고 했던 곳이 그야말로 난장판이 되어 버렸던 것이다.

"베티, 도둑이 들었나 봐! 너는 빨리 저쪽으로 가 봐. 나는 이쪽으로 가 볼 테니까!"

뱁이 소리치며 재빨리 뛰어갔다.

"알았어, 언니!"

베티는 양동이에 담긴 물을 흘리면서 뱁의 반대쪽으로 달려갔다. 너무 당황해서 양동이를 내려놓고 가는 것도 잊어버렸다.

잠시 후, 뱁과 베티는 뒷문 쪽에서 마주쳤다. 두 소녀는 돌더미 위에 올라가서 담 너머로 가로수 길을 살펴보았다. 또 우물가에도 가 보았다. 하지만 아무리 살펴보아도 도둑 같은 것은 보이지 않았다.

두 소녀는 어쩔 수 없이 파티 장소로 되돌아왔는데, 먼젓번보다 더 놀라서 소리를 지르며 현관으로 뛰어올라갔다. 그도 그럴 것이, 어디서 나타났는지 모를 개 한 마리가 인형들의 식탁 위에 올라앉아 혀를 날름거리고 있었던 것이다.

겁이 난 베티는 몸을 움츠린 채 뱁 뒤로 돌아가 숨었다. 온몸이 북슬북슬한 털로 뒤덮인 그 개는 이상하게도 발목과 가슴의 털은 곱슬곱슬했다. 그리고 눈은 노란 빛을 띠고 있었는데, 마치 개구쟁이처럼 보였다.

뱁과 베티를 본 개는 앞발을 번쩍 들고 꾸벅 절을 했다. 그 다음에는 뒷발을 들고 물구나무서기를 한 채 식탁 위를 돌아다녔다. 그러더니 마치 귀부인이 드레스 한쪽 끝을 우아하게 잡듯이 꼬리를 입에 물고 왈츠를 추면서 정문 있는 데까지 갔다가 돌아왔다.

뱁과 베티는 그 모습을 보고 깔깔거리며 웃었다.

"왈츠를 추는 개는 처음 봤어!"

한바탕 재주를 부린 후, 개는 두 소녀 곁으로 다가와 킁킁 냄새를 맡았다. 둘은 서로 끌어안은 채 주춤주춤 뒤로 물러났다.

"가까이 오지 마! 저리 가라고!"

뱁이 겁에 질려 소리쳤다.

그러자 개는 몸을 돌려 울타리 밑으로 빠져 나가더니 어디론가 사라졌다. 뱁과 베티는 재빨리 뒤쫓아가서 울타리 너머로 살펴보았다. 그러나 어디로 갔는지 알 수 없었다.

"대체 누구네 개지?"

베티가 고개를 갸웃거리며 중얼거렸다.

"누구네 갠지 모르겠지만, 한 대 때려 줄 걸 그랬나?"

"아마 그 과자 먹다가 목에 걸릴 거야."

베티는 과자 생각을 하니 몹시 슬퍼졌다. 엄마가 힘들게 만든 것으로, 자기도 밀가루 반죽을 할 때 열심히 도왔던 것이다.

"이젠 파티고 뭐고 틀렸으니, 그만 집에 가자. 과자가 없는데 무슨 파티를 하겠어?"

뱁의 말에 베티도 힘이 빠져 울상을 지었다. 그러나 곧 개가 춤을 추던 생각을 하고 자기도 모르게 웃음을 터뜨렸다.

"개가 춤을 추다니, 정말 우스워."

마주 보고 웃다가 무심코 탁자 쪽을 바라본 뱁은 너무 놀라 눈이 동그래졌다.

"이게 웬 일이지?"

"무슨 일이야?"

베티가 물었다.

"저기, 과자 바구니가……."

뱁이 손가락질을 하는 것을 보니, 과연 조금 전까지 없어졌다고 생각했던 그 과자 바구니가 원래의 자리에 놓여 있었다. 게다가 과자에 손을 댄 흔적도 없었다.

놀라서 한동안 말도 못 하고 있던 두 소녀는, 이윽고 조심스럽게 과자 바구니 쪽으로 다가갔다. 분명 자기들의 과자 바구니였다. 두 사람은 비로소 마음을 놓고 긴 숨을 내쉬었다.

"누가 훔쳐 갔던 게 아닌가 봐."

"우리가 괜한 걱정을 했지?"

"개가 먹은 것도 아니야."

"그걸 어떻게 알아?"

"맛을 보았으면 다 먹어 버렸지, 이렇게 돌려주겠어?"

"그렇다면 도대체 누가 그랬을까?"

"모르겠어. 그보다 이 과자를 어떻게 하면 좋지?"

한바탕 생각지도 않은 일을 겪고 보니, 두 소녀는 파티를 하고 싶은 생각이 없어졌다.

"그냥 먹어치우는 게 어때?"

"그러지, 뭐."

의논 끝에 두 소녀는 그 과자를 우유와 함께 먹었다.

과자를 먹으면서 혹시 개가 다시 나타나지 않을까 하고 주위를 둘러보았다. 하지만 개는 보이지 않았다. 다른 데 신경을 쓰며 먹다 보니, 베티는 건포도가 목에 걸려 혼이 났다.

과자를 다 먹은 후, 두 소녀는 주변을 치우기 시작했다.

"아이고, 마치 지진이라도 난 것 같네."

"아니, 저건 내 벨린다 아냐? 쯧쯧, 불쌍해라!"

베티는 풀숲에 떨어져 있는 벨린다에게로 뛰어갔다. 그리고 얼른 벨린다를 안아 든 다음, 꼭 껴안고 옷에 묻은 흙을 털어 주며 말했다.

"감기 들면 어쩌지? 밤에 기침을 할지도 모르니, 얼른 약을 먹여야겠어."

베티의 말이 끝나자마자 어디선가 재채기 소리가 났다.

"언니가 우리 아기 대신 미리 재채기를 하는 거야?"

베티가 뱁을 돌아보면서 소리쳤다.

"아니야, 난 재채기하지 않았는데……."

"그럼 누가 했지? 분명히 재채기 소리를 들었는데……."

베티는 고개를 갸웃거리며 파란 지붕을 쳐다보았다. 마치 거기서 재채기 소리가 나기라도 한 것처럼. 바로 그 때, 노란 새 한 마리가 라일락꽃 위로 날아갔다.

"새도 재채기를 할 수 있어, 언니?"

베티가 뱁에게 물었다.

"새가 무슨 재채기를 해?"

"언니도 아니고 새도 아니고, 그럼 아까 재채기한 건 누구지? 혹시 그 갠가?"

"개도 새와 마찬가지로 웃거나 재채기를 할 수 없어. 그 개는 정말 어디로 갔을까?"

뱁은 사방을 두리번거렸다.

그러나 겁이 많은 베티는 기분이 이상한지 인형들을 앞치마에 싸기 시작했다.

"기분이 나빠서 더 이상 여기 있기 싫어. 얼른 집에 가야겠어."

"난 별로 기분이 나쁘진 않지만, 곧 비가 올 것 같아서 가야겠다."

때마침 하늘에 검은 구름이 몰려왔다.

뱁과 베티는 파티를 하려던 곳을 깨끗하게 정리한 다음 현관으로 향했다.

층계 위에 연분홍 장미 두 송이가 놓여 있었다. 높은 울타리 꼭대기에 피어 있어, 두 소녀로서는 꺾을 엄두도 내지 못했던 것이다.

"어머, 이건 우리가 갖고 싶어하던 장미네! 바람에 떨어졌나?"

베티가 반색을 하며 말했다.

두 소녀는 이 큰 저택 한쪽 구석에 있는 작은 집에서 어머니 모스 부인과 셋이 살고 있었다. 아버지가 돌아가시자, 어머니는 멀리 여행을 떠난 집주인 대신 저택을 관리하는 일을 하며 살림을 꾸려 갔다.

뱁과 베티가 번갈아 하는 이야기를 잠자코 듣고 있던 어머니가 그다지 놀라는 기색도 없이 말했다.

"그래? 그럼 모레쯤 집을 한 바퀴 돌며 살펴보기로 하자."

그러나 그 날부터 오기 시작한 비가 일요일이 되어도 그치지 않았으므로, 어머니는 그 약속을 지킬 수가 없었다.

장화를 신은 채 마치 새끼오리들처럼 빗속을 철벅거리며 학교에 간 뱁과 베티는, 점심 시간에 그 이상한 개 이야기로 인기를 모았다. 그 개를 보았다는 아이들도 몇 명 있었지만, 재주 부리는 것은 아무도 못 본 모양이었다. 어깨가 으쓱해진 뱁은 개가 춤추는 흉내를 내다가 마룻바닥에 나뒹굴기까지 했다.

그 때, 창가에 앉아 있던 베티가 소리를 질렀다.

"앗, 저기 그 개가 있어!"

"정말이야?"

아이들은 눈을 빛내며 창문 쪽으로 몰려갔다.

"뱁, 너 저 개를 불러서 재주를 부리게 할 수 있어?"

한 아이가 창 밖을 내다보며 묻자, 다른 아이들도 한번 해 보라고 부추겼다.

"좋아, 한번 해 볼게."

뱁은 창문을 열고 개를 불렀다.

개는 뱁을 알아본 듯 다가왔으나, 교실 안으로 들어오려고는 하지 않았다. 흙구덩이에 코를 박은 채 킁킁 냄새를 맡는 체하더니, 점심을 먹은 후 나란히 놓아 둔 아이들의 도시락을 곁눈질로 살폈다.

"배가 고픈 것 같은데."

한 아이가 말했다.

"먹을 걸 좀 줄까? 그럼 우리가 저를 해치려 하지 않는다는 것을 알겠지."

뱁은 자기 도시락을 열어 남아 있는 빵부스러기를 털어 개에게 내밀었다. 개는 문 바로 앞까지 왔으나, 여전히 안으로 들어오려고 하지 않았다.

그래서 뱁은 도시락째 문간에 놓아 주고 뒤로 물러섰다.

"불쌍하니까, 저걸 다 먹을 때까지는 그냥 놓아 두자."

그런데 괘씸하게도 개는 슬그머니 다가와 뱁의 도시락을 입에 물더니, 홱 돌아서서 그대로 달려갔다.

친절을 베푼 뱁은 물론이고, 모두들 깜짝 놀랐다.

"아니!"

"저놈이!"

아이들이 소리를 질렀다.

그 때 마침 수업 시작을 알리는 종이 울렸으므로, 아이들은 그 개를 뒤쫓아갈 수가 없었다.

수업이 끝나자, 뱁과 베티는 곧장 집으로 향했다.

두 아이가 하는 이야기를 웃음 띤 얼굴로 조용히 듣고 있던 어머니가 말했다.

"만약 그 개가 도시락을 돌려주지 않으면 새로 하나 사 줄 테니 염려마라. 그리고 오늘은 땅이 질척거려서 아무래도 놀기가 힘들겠지? 어서 장화나 신어라. 전에 약속한 대로 마차간에나 가 보게."

그 말에 두 소녀는 좋아서 팔짝팔짝 뛰었다.

"야, 신난다!"

어머니는 묵직한 열쇠 뭉치를 든 채 앞장을 섰다. 진창에 끌리지 않게 한 손으로는 치맛자락을 걷어쥐었다.

마찻간에는 사람이 드나드는 작은 문과 마차를 끌어 내는 큰 문이 있다. 그런데 작은 문은 안으로 잠겨 있고, 큰 문은 밖으로 잠겨 있었다.

어머니가 큰 문을 열기가 무섭게 두 아이는 안으로 들어섰다. 그 동안 꼭 한 번 타 보고 싶었던 마차가 바로 눈앞에 있었다. 높은 문, 접어서 개어 얹는 발판……. 먼지로 뒤덮인 마차에서는 곰팡내가 났다. 그러나 뱁과 베티는 좋아서 어쩔 줄 몰라 했다.

뱁은 마부석으로 뛰어올랐다. 베티는 마차의 문을 열려고 했다. 그러다가 두 소녀는 소스라치게 놀라 구르듯이 마차에서 뛰어내렸다. 마차 안에서 개 짖는 소리와 함께 '조용히 해, 산초!' 하는 나직한 목소리가 들렸던 것이다.

뱁과 베티는 어머니 뒤로 돌아가 숨고, 모스 부인이 날카롭게 소리쳤다.

"거기 있는 게 누구냐?"

그러자 마차 밑에서 두 소녀가 이미 알고 있는 춤추는 개가 뛰어나왔다. 그 뒤를 이어 땟국이 흐르는 가는 다리가 천천히 나타났다.

"빨리 나오너라!"

어머니가 재촉했다.

"네, 나가요."

그 다리의 주인공은 초라하고 지저분해 보이는 소년이었다. 춤추는 개는 그 소년 앞에 웅크리고 앉은 채 모스 부인과 소녀들을 번갈아 쳐다보았다.

"넌 누구니? 왜 이런 데 있지?"

모스 부인이 나무라듯 엄하게 물었다.

그러나 소년의 여윈 어깨에 눈길이 간 순간, 모스 부인의 얼굴에는 불쌍해하는 표정이 떠올랐다.

떠돌이 소년

"제 이름은 벤 브라운이고, 지금 여행을 하는 중이에요."

"여행이라면, 어디로 가는 길이지?"

"어디라고 정해진 것은 아니에요. 일이 있는 곳이라면 아무데나 가요."

"무슨 일을 하는데?"
"뭐든지 할 수 있지만, 특히 말을 잘 탑니다."
"아니, 너 같이 작은 아이가 말을 탄다고?"
"저는 열두 살이나 되었는데요? 네발짐승이라면 어떤 것이든 잘 다룹니다."
벤은 자랑하듯 어깨를 으쓱거리며 말했다.
"부모님은 안 계시니?"
모스 부인이 걱정스러운 기색으로 물었다.
벤은 얼굴에 핏기가 없고, 눈은 퀭하니 들어갔으며, 다리엔 서 있을 힘조차 없는 듯 마차에 기대앉아 있었다.
"네, 안 계세요."
"그럼 친척은? 친척도 없니?"
"네, 아무도 없어요. 저를 돌보아 주던 사람이 너무 매질을 심하게 하는 바람에 도망친 거예요."
모스 부인이 관심을 보이자, 벤은 묻지 않는 것까지도 솔직하게 털어놓았다.
"여긴 어떻게 왔지?"
"몹시 지쳐서 한 발짝도 더 걷기가 힘들었어요. 이 집에서 좀 쉬어 가게 해 달라고 할 생각으로 왔는데, 문이 잠겨 있지 뭐예요."
모스 부인은 안됐다는 표정으로 혀를 찼다. 뱁과 베티는 눈을 반짝이며 벤의 이야기에 귀를 기울였다.
"문에 잠시 기대어 있다가 발길을 돌리려고 하는데, 집 안에서 이야기 소리가 들렸어요. 그래서 들여다보았더니 이 애들이 놀고 있었어요. 식탁 위의 과자를 보니 침이 넘어갔어요. 몹시 배가 고팠거든요. 하지만 저는 훔치지 않았어요! 나중에 산초가 과자 바구니를 물어 오

긴 했지만……."

벤의 입에서 자기 이름이 나오자 개는 귀를 쫑긋거렸다. 뱁과 베티는 개를 노려보았다. 그러나 개는 능청스럽게 눈을 감았다.

"그럼 네가 개에게 과자를 도로 식탁 위에 갖다 놓으라고 했니?"

베티가 벤에게 물었다.

"아니, 그건 내가 갖다 놓은 거야. 너희들이 산초 뒤를 쫓아간 사이에……."

그 말을 하며 벤은 미소를 지었다.

"그럼 웃음소리를 낸 것도 너야?"

"응."

"재채기를 한 것도?"

"그래."

"그 장미꽃도 네가 꺾어다 놓았고?"

벤은 고개를 끄덕이며 물었다.

"그 꽃 예쁘지?"

"그런데 왜 우리 앞에 나타나지 않고 숨은 거야?"

"옷이 너무 더러워서……."

벤은 부끄러운 듯 얼굴을 붉히며 초라한 자기 옷을 내려다보았다. 마차 밑으로 다시 들어가고 싶어하는 표정이었다.

"이 마차간엔 어떻게 들어왔지? 문이 잠겨 있었는데……."

모스 부인이 생각난 듯 물었다.

"이 애들이 이야기하는 걸 듣고 찾아보았어요. 창문 유리가 깨져 있어서 그리로 쉽게 들어왔지요. 그 후 이틀 동안 여기서 잤어요. 어떻게든 일어나 보려고 했는데, 기운이 없어 꼼짝할 수가 없었어요."

"그래서 지금까지 여기 있었단 말이냐?"

"네. 비도 오고 해서……. 빗소리를 듣고 있으면 쓸쓸한 기분이 들기도 했어요. 하지만 아이들이 노는 소리를 듣거나, 산초가 가끔 먹을 것을 구해 왔기 때문에 그런 대로 견딜 만했어요."

"그랬었구나……."

모스 부인은 눈물을 글썽이며 말을 잇지 못했다.

열두 살밖에 안 된 아이가 이틀 동안이나 곰팡내 나는 마차간에서 개가 물어 오는 빵부스러기로 굶주림을 달랜 것을 생각하니 너무 불쌍했던 것이다. 모스 부인은 애써 냉정해지려고 했지만, 자기도 모르게 눈물이 뺨으로 흘러내렸다.

"내가 뭐 도와줄 일은 없겠니?"

모스 부인은 겸연쩍은 듯 미소를 지으며 물었다.

"괜찮아요, 아주머니. 전 아무래도 좋은데, 산초를 너무 야단치지 마세요. 산초는 단지 저를 위해 애쓴 것뿐이니까요. 저와 산초는 절대로 떨어질 수 없는 친구예요."

벤은 걱정스러운 표정으로 모스 부인을 쳐다보며 개의 목덜미를 어루만졌다.

"그건 염려 말고, 나를 따라 우리 집으로 가자. 가서 목욕하고 밥을 먹은 다음, 침대에서 편히 자거라. 내일은……. 그래, 내일은 또 어떻게 되겠지."

모스 부인이 말했다.

"감사합니다. 그 보답으로 제가 아주머니 일을 도와드릴게요. 아주머니 댁엔 말이 없나요? 있다면 잘 돌봐 드릴 수 있는데……."

벤이 진심으로 고마움을 느끼는 표정으로 말했다.

"유감이지만, 우리 집에는 닭과 고양이밖에 없어."

모스 부인의 말에 뱁과 베티는 웃음을 터뜨렸다.

덩달아 힘없이 웃던 벤은 갑자기 어지러운 듯 하늘을 쳐다보며 눈을 껌벅거렸다.

"얘들아, 너희들은 어서 가서 수프를 불에 올려라. 솥에다 물도 좀 끓이고……."

모스 부인은 뱁과 베티를 먼저 집으로 보냈다. 그런 다음, 벤의 뼈만 남은 손목을 잡고 맥을 짚어 보았다. 혹시 무슨 병이 든 건 아닌가 염려되었던 것이다.

그러나 다소 약하기는 하지만 맥박은 정상이었다. 눈두덩도 푹 꺼져 있었지만 눈동자는 또록또록해 보였다. 벤이 무슨 병에 걸린 것은 아니었다. 다만 며칠 동안 제대로 먹지 못해 기운이 없었을 뿐이다. 어젯밤 빗물로 깨끗이 씻어, 지저분해 보이지만 몸에 때도 없었다.

"벤, 혀를 좀 내밀어 보겠니?"

벤은 시키는 대로 혀를 얼른 내보이고 나서 말했다.

"전 배가 고플 뿐이지 아픈 데는 없어요. 산초가 가지고 온 빵부스러기를 둘이 나누어 먹었거든요."

벤은 모스 부인이 무엇 때문에 자기를 그토록 찬찬히 살피는지 알고 있었던 것이다.

갑자기 산초가 벤과 마차간 문 사이를 오가며 멍멍 짖었다. 빨리 먹을 것과 쉴 곳이 있는 데로 가자고 재촉하는 것처럼 보였다.

"어서 짐을 가지고 따라오너라."

모스 부인이 고개를 끄덕이며 벤에게 말했다.

"짐 같은 건 없는데……. 아, 하나 있어요. 산초가 가지고 왔는데, 누구 건지 알면 돌려주고 싶어요."

그러면서 벤이 마차 밑에서 꺼낸 것은 산초가 학교에서 물고 온 뱁의 도시락이었다.

"아, 이건 뱁의 도시락이야. 자, 어서 가자. 문을 잠가야겠다."

이틀 동안이나 습기 찬 마차간에서 지낸 벤은 몹시 지쳐 있었다. 그는 부러진 괭이 자루를 짚고 다리를 절며 밖으로 나왔다.

그러나 산초는 이리 뛰고 저리 뛰며 신나게 짖어 댔다. 모든 어려움이 지나고 방랑 생활도 끝이 난 것을 알고 있는 모양이었다.

산초가 너무 설치자, 마침내 모스 부인이 소리를 질렀다.

"그만해, 산초!"

이윽고 벤과 산초는 모스 부인을 따라 집 안으로 들어갔다.

난로에는 불길이 활활 타오르고 있었고, 그 위에 올려놓은 수프 냄비와 물주전자에서는 김이 모락모락 피어오르고 있었다. 베티는 장작을 지피는 데 열중하여 빵에 시커먼 검댕이 묻는 것도 몰랐다. 뱁은 열심히 빵을 자르고 있었다.

낡은 안락 의자에 앉은 벤은 버터 바른 빵을 쉴새없이 입 안으로 밀어넣고, 산초도 그 옆에서 먹는 일에 열중했다.

그 동안 모스 부인은 두 딸에게 심부름을 시켰다.

"뱁은 바이턴 부인 댁에 가서, 혹시 빌리가 입던 옷이 있나 물어보아라. 그리고 베티는 커터네 집에 가서 미스 글라린디에게 지난번 봉사회에서 만든 셔츠가 남았거든 두어 벌만 달래서 가져오고……. 옷 말고도 신이든 모자든 있는 대로 다 얻어 오려무나."

그러잖아도 벤의 낡은 옷이 신경 쓰였던 뱁과 베티는 어머니의 말이 떨어지기가 무섭게 달려나갔다.

이윽고 벤은 목욕을 하고 뱁과 베티가 얻어 온 옷으로 갈아입었다. 산초도 벤과 함께 목욕을 하여, 털이 눈처럼 하얗게 빛났다.

모스 부인과 두 소녀는 때를 벗은 벤과 산초의 모습을 바라보다가, 만족스러운 듯 미소를 지었다.

모스 부인은 벤을 난로 앞에 세웠다.

"몰라보겠구나, 벤."

얼굴빛이 아직 창백했으나, 깔끔하게 변한 벤의 모습이 마음에 들었던 것이다.

"아주머니, 감사합니다."

벤이 고개를 숙이며 맑은 목소리로 말했다.

세 사람의 눈길이 자기에게 쏠려 있다는 것을 깨닫자, 벤은 부끄러운 듯 얼굴을 붉혔다.

뱁과 베티는 곧 식탁을 치우고 설거지를 했다. 그러다가 뱁은 실수로 찻잔 하나를 떨어뜨렸다.

모두들 곧 요란하게 깨지는 소리가 나겠구나 생각했는데, 이상하게 조용했다. 벤이 재빨리 손을 내밀어 손등으로 찻잔을 받아 뱁에게 건네주었던 것이다.

"아니, 이게 어떻게 된 일이야?"

뱁은 요술이라도 본 것처럼 눈을 동그랗게 떴다.

"이 정도야 보통이지. 자, 보렴!"

벤은 두 개의 접시를 번갈아 공중으로 던지며 공기놀이하듯 했다.

뱁과 베티는 놀라서 입을 딱 벌렸다.

"벤, 그러다가 접시 깨겠다!"

모스 부인이 조마조마한 표정으로 소리쳤다.

벤은 미소를 지으며 곁에 있던 광주리에서 빨래집게 몇 개를 집어 들더니, 그것을 자기 코와 턱 위에 세웠다. 그리고는 접시를 세 개나 공중에 던졌다가 얼굴에 세운 집게로 가볍게 받아 내어, 얼굴에 접시를 얹은 채 방 안을 이리저리 돌아다녔다.

"와, 멋지다!"

밥과 베티는 감탄하여 손뼉을 쳤다.
모스 부인도 방금 전까지 가슴 졸이던 것을 잊은 듯, 넋을 잃고 벤의 묘기를 바라보았다. 만일 벤이 달라고만 했다면, 자기 수프 접시까지도 내주었을 것이다.
그러나 벤은 아직 피로가 가시지 않아 더 이상의 재주를 보여 줄 수 없었다. 벤의 얼굴에는 쓸쓸한 표정이 떠올랐다. 그런 재주를 보여 준 것을 후회하는 듯했다.
"마술을 배운 모양이로구나, 벤."
모스 부인이 말했다.
벤은 처음 자기 이름을 밝힐 때도 지금처럼 쓸쓸한 표정을 지었다. 모스 부인은 그것이 숨기고 싶어하는 사실을 들킨 사람의 태도임을 알고 있었다.
"세뇨르 페드로 서커스단에서 일을 거들 때 몇 가지 배웠지요."
벤은 머뭇거리며 말했다.
"벤, 솔직하게 얘기해 봐. 나쁜 짓을 한 것만 아니라면 말 못 할 것도 없잖니? 가능하면 너를 도와주고 싶구나."
모스 부인이 달래듯이 말했다.
"하늘에 맹세코 전 나쁜 짓을 한 적이 없어요. 다만 그 곳으로 되돌아가기가 싫을 뿐이에요. 만일 제가 다 털어놓고 얘기를 하면, 아주머니는 그들에게 제가 여기 있다고 연락을 하시겠죠?"
"네가 가기 싫다면 절대로 안 보낼 테니까, 어서 사실대로 이야기해 보려무나. 밥, 베티, 너희는 저쪽으로 가서 우유나 마시고 있거라."
"그냥 여기 있게 해 주세요, 엄마. 아무에게도 이야기하지 않을 테니까."
밥과 베티는 엄마에게 떼를 쓰다시피 했다.

"괜찮아요, 아주머니. 그냥 놓아 두세요."
벤이 말했다.
"뱁, 베티, 이 방에서 들은 이야기는 무슨 일이 있어도 입 밖에 내지 않겠다고 약속할 수 있겠니?"
모스 부인이 다짐하듯 물었다.
"약속할게요."
뱁과 베티는 입을 모아 대답했다.
"좋아. 그럼 너희들은 저쪽에 가서 조용히 앉아 있어. 자, 벤, 너는 어디서 왔지?"
두 아이는 얼른 맞은편에 있는 의자에 가서 앉았다. 그리고 기대에 찬 얼굴로 벤의 입을 바라보았다.
벤은 잠시 무엇인가 생각하다가 입을 열었다.
"사실 전 서커스단에서 도망쳐 나왔어요."
"서커스단이라면 재미있을 텐데 왜 도망쳤지?"
뱁과 베티의 말에 벤은 씁쓸한 표정을 지었다.
"서커스단에 대해 자세히 알게 되면, 너희들도 그런 말을 하진 않을 거야. 별로 재미있는 일은 없어. 그렇지, 산초?"
벤이 말했다.
그러자 벤의 발 아래 웅크리고 있던 산초는 벌떡 일어나 꼬리로 바닥을 툭툭 쳤다. 마치 주인의 말에 동의를 표시하는 듯했다.
모스 부인은 벤을 측은한 듯 바라보다가 물었다.
"그래, 서커스단에는 어떻게 들어갔니?"
"아빠가 '평원의 모험가' 였어요. 아주머니, 모르세요?"
벤은 그 유명한 사람을 모르느냐는 듯한 얼굴로 물었다.
모스 부인은 자기 아버지를 진심으로 존경하고 있는 듯한 벤의 태도에 감동했다. 그러나 그런 이름을 들어 본 적은 없었다.

"서커스를 본 지가 하도 오래 되어서……."

"너희도 우리 아빠를 모르겠구나."

뱁과 베티 쪽을 바라보며 벤이 아쉬운 듯 말했다.

"글쎄……. 인디언과 재주넘기를 하는 사람, 그리고 보르네오의 형제 곡예사 같은 사람들은 봤는데, 그 가운데 너희 아빠가 계셨을지도 모르겠구나."

베티가 말했다.

"우리 아빠는 그런 사람들과는 달라. 아빠는 세상에서 가장 훌륭한 곡예사였어. 한번에 말을 여섯 마리, 여덟 마리씩 타셨거든. 나도 어렸을 때는 아빠와 함께 말을 탔어."

벤은 어깨를 으쓱거리며 아버지 자랑에 열을 올렸다.

"그럼 네 아버지는 어떻게 되셨지? 돌아가셨니?"

모스 부인이 물었다.

"글쎄, 그걸 잘 모르겠어요……."

벤은 고개를 숙인 채 울음을 참느라고 애썼다.

"한번 자세히 얘기해 봐. 혹시 어디 계신지 알아볼 수도 있을 테니까."

모스 부인이 벤의 머리를 쓰다듬으며 다정하게 말했다.

고개를 푹 숙인 채 산초를 내려다보고 있던 벤은 그 말에 용기를 얻은 듯, 떨리는 목소리로 이야기를 계속했다.

"저는 할머니와 함께 살다가, 일곱 살 되던 해에 아빠한테 갔어요. 아빠는 저를 정말 귀여워하며, 말을 타게 해 주셨어요. 제가 몸에 꼭 끼는 흰 옷에 금빛 허리띠를 두르고 아빠 어깨 위에 서서 말을 달리는 걸 보셨더라면 좋았을 텐데……. 세 마리나 되는 말을 한꺼번에 몰고 달리는 아빠의 머리 위에 서서 깃발을 흔들 때면 관중들이 모두 박수를 치곤 했어요. 한번 보여 드리고 싶을 만큼 멋진 곡예였지요."

"무서웠겠다!"

베티가 생각만 해도 어지럽다는 듯 얼굴을 찡그렸다.

"아니, 하나도 안 무서웠어."

"나도 재미있을 것 같은데……."

뱁이 눈을 빛내며 말했다.

"서커스 단원이 모두 행진할 때, 저는 네 마리의 말이 끄는 작은 마차를 탔어요."

벤은 이야기를 계속했다.

"어느 때는 한니발과 네로가 끄는 커다란 마차 꼭대기에 매달린 공 위에 올라타기도 했는데, 전 그건 별로 좋아하지 않았어요. 너무 높아서 어지럽고, 또 몹시 흔들려서 끝나고 나면 다리가 여간 아픈 게 아니었거든요."

"한니발과 네로? 그게 누구야?"

베티가 물었다.

"그건 커다란 코끼리들이야. 아빠가 계실 때는 위험하다고 못 하게 했지. 그런데 아빠가 어디론가 가시고 나니까, 매질을 하면서 강제로 시켰어."

"네게 친절하게 대해 주는 사람은 없었니?"

모스 부인이 물었다.

"여자 단원들이야 다 잘해 주었지요. 특히 말을 타는 여자 곡예사인 멜리아가 가장 잘 돌봐 주었어요. 곰을 재주 부리게 하는 버크가 항상 나를 구박했는데, 멜리아는 그러면 다시는 말을 타는 곡예에 나가지 않겠다고 엄포를 놓았어요."

"뭐, 곰? 곰도 있었어?"

뱁이 소리쳤다.

"물론이지. 버크는 곰을 다섯 마리나 가지고 있었어. 그런데 한번은 내가 곰과 장난을 쳤는데, 그것을 보고 버크가 곰을 내게 떠맡기려는 거야. 하지만 다행히도 미스 세인트 존이 내 편을 들어주는 바람에 그 일을 면할 수 있었지."

"미스 세인트 존이라니, 그건 또 누구냐?"

모스 부인은 처음 듣는 이름이 자꾸 튀어나오자 정신이 없는 것 같았다.

"아, 멜리아가 바로 미스 세인트 존이에요. 서커스단의 지배인 스미더스의 부인인데, 미스 세인트 존은 광고 포스터에 쓰는 이름이에요. 우리 아빠는 세뇨르 호세 몬테벨로, 저는 아돌프 불룸베리라고 불렸지요. 어릴 때는 날아가는 큐피드, 혹은 천재 소년이라고도 했어요."

그 말에 모스 부인은 자기도 모르게 웃음을 터뜨렸다.

"그런데 왜 서커스단에서 달아났지?"

"어느 날, 아빠는 스미더스와 말다툼을 하고 갑자기 서커스단을 떠나셨어요. 제게는 뉴욕 마술 학교에 가는데 자리가 잡히면 곧 데리러 오겠다고 하시면서 가셨지요. 어쩔 수 없이 저는 마술사 페드로의 일을 도우면서 남아 있게 되었어요. 페드로는 좋은 사람이었지요. 또 멜리아도 저를 잘 보살펴 주었으므로, 한동안은 지내기가 괜찮았어요. 하지만 아무리 기다려도 아빠가 돌아오시지 않자, 스미더스는 제게 별의별 일을 다 시켰어요. 멜리아와 산초가 아니었으면 진작에 달아났을 거예요."

"그래, 넌 거기서 무슨 일을 했니?"

"스미더스는 제 몸이 작고 가벼운 것을 최대한 이용했어요. 그가 명

령하면 무엇이든 해야 했어요. 심지어는 더 이상 자라지 않게 하려고 독한 술까지 먹이려 했어요. 말에서 떨어져 등을 크게 다친 적이 있어요. 그런데 스미더스는 그 상처가 다 낫지도 않았는데 말을 타라고 했어요. 할 수 없이 말을 탔다가 다시 떨어져 오랫동안 고생을 했어요."

"쯧쯧, 그런 걸 보고도 멜리아가 말리지 않았니?"

모스 부인이 화난 표정으로 물었다.

"그 때는 멜리아가 세상을 떠난 뒤였거든요. 도저히 참을 수 없다고 생각한 저는 달아나기로 결심했지요."

벤은 친절했던 멜리아를 생각하며 눈물을 흘렸다.

"달아나서 어쩔 작정이었니?"

"아빠를 찾고 싶었어요. 그런데 찾을 수가 없었어요. 아빠는 마술 학교에 계시지 않았어요. 그 사실을 알고 맥이 탁 풀렸지만, 서커스단으로 되돌아가기는 죽기보다 싫었어요. 그렇다고 아빠가 어디 계신지도 모르니 찾아갈 수도 없고……. 그래서 마술 학교에 다니게 해 달라고 졸라 보았지만, 자리가 없다며 거절했어요. 그래서 일자리를 찾아다녔지요. 산초와 함께가 아니었다면, 굶어 죽었을지도 몰라요. 서커스단에서 몰래 나오기 전, 저는 산초를 단단히 묶어 두었어요. 개를 훔쳐 갔다는 말을 듣고 싶진 않았거든요. 산초는 서커스단에서는 귀한 존재였어요. 아마 지금도 서커스단에서는 저보다 산초를 더 기다리고 있을 거예요. 사실 산초는 본래 아버지의 개였어요. 그러니까 제가 데려와도 괜찮았지만, 말썽을 일으키기가 싫었어요. 어두운 밤인데다 단단히 묶어 두고 왔으므로, 산초가 제 뒤를 따라오리라고는 전혀 생각도 못했어요. 아무튼 서커스단에서 나올 때는 분명히 저 혼자였어요. 이튿날, 저는 서커스단에서 제법 멀리 떨어진 한 농가의 광에 누워 있었어요. 그런데 갑자기 산초가 온몸이 흙투성이가 된 채 목에 맨 끈을 질질 끌면서 뛰어들었어요. 이빨로 묶인 끈을 끊은 다음, 제 뒤를 따라왔던 모양이에요. 냄새로 방향을 알아 낸 거죠. 그 때 얼마나 반가웠는지……. 다시는 헤어지지 않기로 결심하고, 그 다음부터는 줄곧 함께 지냈어요."

벤의 말에 열심히 귀를 기울이고 있던 산초는 앞발로 어린 주인의 어깨를 짚고 그 얼굴을 핥았다. 마치 자기가 곁에 있으니 기운을 내라고 하는 것 같았다.

벤은 산초를 꼭 껴안고 눈물을 글썽거렸다.

그 정다운 모습을 보고 뱁과 베티는 자기도 모르게 손뼉을 쳤다. 그리고 산초에게 다가가 머리를 부드럽게 쓰다듬어 주며 말했다.

"산초, 과자를 훔쳐 간 것도, 또 도시락 물고 갔던 일도 다 용서해 줄게."

그러자 벤이 산초에게 눈을 찡긋해 보였다. 그것을 신호로 산초는 벌떡 일어서서 재주를 부리기 시작했다.

"어머, 어쩌면!"

뱁과 베티는 기뻐서 팔짝팔짝 뛰었다.

"이렇게 영리한 개는 처음 봤어."

모스 부인도 감탄했다.

산초가 칭찬을 받자, 벤은 자기가 칭찬을 받는 것보다 더 기분이 좋았다.

"벤, 만일 여기 적당한 일자리가 있으면 일을 잘할 수 있겠니?"

모스 부인이 벤에게 물었다.

벤의 이야기를 들으며 여러 모로 생각한 끝에 한 말이었다.

"네, 잘할 수 있어요! 그렇게만 된다면 저야 더 바랄 게 없죠."

벤은 자신있게 대답했다.

"그래? 그렇다면 내가 내일 지주 댁에 가서 말씀드려 볼게. 해마다 여름이면 심부름하는 소년을 썼는데, 올해는 아직 두지 않은 것 같거든. 벤, 너 소를 몰 수 있겠니?"

"네, 몰 수 있어요."

벤은 그까짓 것쯤은 문제가 아니라는 듯 어깨를 으쓱 치켜올렸다. 하긴 네 마리의 말이 끄는 마차를 몰았던 벤이니, 그럴 만도 했다.

"소를 모는 건 코끼리를 타는 것보다는 재미없을 거야. 그렇지만 나름대로 괜찮은 일이란다. 네 장래를 위해서도 서커스보다는 소 모는 일을 하는 게 더 나을 거야."

모스 부인이 미소를 지으며 말했다.

새로운 출발

벤과 산초는 모스 부인의 배려로 정말 오랜만에 포근한 잠자리에서 기분 좋게 잠이 들었다.

공놀이를 하느라고 소란을 떨던 뱁과 베티는 마침내 모스 부인에게 꾸중을 들었다.

“어서들 자거라! 얌전하게 자지 않으면, 벤과 산초를 내보낼 거야.”

그 말에 두 소녀는 깜짝 놀라 재빨리 침대 속으로 들어갔다.

이튿날 아침, 잠에서 깬 벤은 한동안 그대로 잠자리에 누워 사방을 두리번거렸다. 천장을 쳐다보니 아주 낯선 느낌이 들었기 때문이다. 밖에서는 암탉의 울음소리가 들려왔다.

창가에 앉아 있던 산초는 늙은 고양이가 세수하는 모습을 바라보고 있었다. 그러다가 자기도 해 보고 싶어졌는지, 털이 북슬북슬한 앞발로 얼굴을 문질러 댔다.

벤은 그것을 보고 자기도 모르게 웃음을 터뜨렸다.

산초는 부끄러운 짓을 하다가 들킨 것처럼 벤에게 달려들어 얼굴을 핥아 댔다. 벤은 간지러움을 참다 못해 이불을 푹 뒤집어썼다.

그 때, 아래층에서 벽을 톡톡 치는 소리가 들려왔다. 일어나라는 신호 같았다. 벤은 벌떡 일어나 방 안을 정리한 다음, 산초와 함께 아래층으로 내려갔다.

모스 부인은 부엌에서 아침 식사 준비를 하고 있었다.

난로 위에는 산초가 가장 좋아하는 햄이 기막힌 냄새를 풍기며 익어 가고 있었다. 산초는 도저히 못 참겠다는 듯 꼬리가 떨어져라 흔들어 댔다.

“안녕히 주무셨어요?”

벤이 인사를 하자, 모스 부인은 미소를 지었다.
"너도 잘 잤니?"
"네, 편하게 잘 잤어요. 항상 건초나 말 등을 덮어 주는 담요 같은 것을 깔고 자다가 침대에서 자니까 정말 잠이 잘 왔어요."
벤은 마음에서 우러나는 감사의 인사를 했다.
모스 부인은 마치 어머니처럼 자애로운 표정으로 벤의 머리를 쓰다듬어 주었다.
"딱딱한 침대보다는 깨끗한 풀이 나을 텐데. 아무튼 잘 잤다니 다행이다. 그래서 그런지 얼굴이 좋아 보이는구나."
"기운이 샘솟는 것 같아요. 자, 보세요."
벤은 주먹을 불끈 쥐고 한쪽 팔을 구부려 알통을 만들어 보였다.
"그래? 그렇다면 네가 얼마나 기운이 센지 좀 보자. 우물에 가서 물을 좀 길어다 주겠니?"
"네!"
벤은 힘차게 대답한 다음, 양동이를 들고 우물가로 뛰어갔다.
그런데 벤은 이끼 낀 우물가에 양동이를 내려놓고는 물은 길을 생각도 하지 않고 주위를 둘러보았다. 아담하게 생긴 집들, 굴뚝에서 피어올라 천천히 하늘로 올라가는 연기, 파릇한 잎사귀가 돋아나는 언덕 앞의 과일나무들, 그 옆으로 춤추듯 굽이쳐 흘러가는 시냇물, 그리고 양지쪽에는 뱁과 베티가 정답게 마주 앉아 이야기를 하고 있었다……. 뭐라고 말할 수 없이 아름다운 풍경이었다.
"정말 아름다운 곳이지?"
벤과 눈이 마주치자 뱁이 미소를 지으며 물었다.
"그래. 말이 있었으면 더 좋을 텐데……."
"판사님은 말을 세 마리나 가지고 있는데, 아이들에게는 꼬리의 털

하나도 만지지 못하게 해."

베티가 불만스러운 표정으로 말했다.

"판사님이 안 계시면 마이크가 흰 말에 태워 주잖아."

뱁은 말 타는 흉내를 내느라 파란 벤치 위에 올라가 펄쩍펄쩍 뛰어올랐다.

"어, 제법인데!"

벤은 양동이에 물을 채워 가지고 가면서 말했다.

그 때, 모스 부인이 부르는 소리가 들렸다.

"애들아, 아침 먹게 어서들 오너라!"

식사를 마치자, 모스 부인이 아이들에게 말했다.

"뱁, 베티, 너희들은 이제 맡은 일을 해야지? 그리고 벤, 너는 장작을 좀 패 줘야겠다. 그 동안 나는 설거지를 할 테니까, 그 일이 끝나면 다 함께 나가자."

뱁은 요란한 소리를 내며 접시를 닦고, 베티는 빗자루를 휘둘러 먼지를 피우며 청소를 하고, 벤은 주위에 온통 나무 부스러기를 어지르며 장작을 팼다.

산초는 벤의 일을 거든답시고 이리 뛰고 저리 뛰다가 도끼에 꼬리를 잘릴 뻔하는 위험을 당하기도 했다. 그뿐이 아니었다. 청소하는 베티를 도와준다고 구둣솔을 물어당기는가 하면, 뱁이 설거지하는 것을 감시하듯 앞발을 든 채 빤히 쳐다보고 있기도 했다. 그러다가 결국 밖으로 내쫓기고 말았는데, 그래도 신이 나는지 울타리 밖으로 닭을 몰아 내고, 땅을 파고 헌 구두를 묻어 버렸다.

한바탕 소동을 부린 끝에 일을 마치고 다 함께 외출을 하게 되었다. 그런데 산초는 너무 설치는 바람에 기운이 다 빠졌는지, 밖에 나가자 아주 점잖게 굴었다.

갈림길에서 뱁과 베티는 학교로 가고, 모스 부인과 벤, 산초는 언덕 위에 있는 지주의 저택으로 향했다.

이윽고 저택 문 앞에 이르자, '모리스' 라고 쓴 빛나는 문패가 눈에 띄었다.

"내가 잘 이야기해 줄 테니, 너무 긴장하지 않아도 돼. 모리스 씨가 너를 쓰겠다고 하시면, 감사하게 여기고 성의를 다해 일해야 한다."

모스 부인이 긴장으로 얼굴이 굳어진 벤의 귀에 대고 나직하게 말했다. 현관 문을 두드리자, 안에서 대답하는 소리가 들렸다.

"들어오시오."

모스 부인은 긴장으로 미소를 띠며 안으로 들어섰다. 그러나 벤은 마치 치과에 이를 빼러 들어가는 기분으로 모스 부인의 뒤를 따랐다.

머리가 허연 노신사가 읽던 신문을 옆으로 치우더니, 모스 부인과 벤을 날카롭게 쏘아보았다. 모리스 씨였다.

"웬일이십니까, 모스 부인?"

그 가슴속에 얼마나 부드러운 마음씨가 숨어 있는지 모르는 사람들이 듣기에는 깜짝 놀랄 만큼 무뚝뚝한 목소리였다.

모스 부인은 그 동안 벤이 겪은 고생과 지금의 딱한 처지를 될 수 있는 대로 간추려서 말했다.

그 말을 들으며 모리스 씨는 깊은 관심이 담긴 눈으로 벤을 바라보았다. 아니, 모리스 씨뿐만 아니라 그 이야기의 주인공인 벤도 자기 자신을 동정할 정도로 모스 부인의 말은 사람의 마음을 움직이는 힘이 있었다.

모스 부인의 이야기가 끝나자, 모리스 씨는 잘 알았다는 듯 고개를 끄덕이고는 날카로운 시선을 벤에게로 돌렸다.

"무슨 일을 할 수 있지?"

벤은 마음속을 훤히 꿰뚫어 보는 듯한 그 눈초리에 기가 질려 자기도 모르게 말을 더듬었다.

"무, 무슨 일이든 할 수 있습니다."

"그럼 김맬 줄도 아느냐?"

"그, 그건 해 보지 않았지만, 가르쳐 주시면 잘할 수 있어요."

"잡초는 남겨 두고 무는 다 뽑아 버리는 건 아닐 테지. 딸기를 따 본 일은 있느냐?"

"딸기를 먹어 본 적은 있지만, 따 보지는 않았는데요."

"그런 건 잘 기억하고 있군. 그럼 말을 몰고 여물을 주는 일은 어떠냐?"

"그런 일이라면 아주 잘할 수 있어요."

말이라는 소리에 벤은 눈을 빛내며 자신 있게 대답했다.

"서커스를 하라는 게 아니야. 내 말은 아주 좋은 말인데, 나는 그놈을 매우 소중하게 여기고 있다."

모리스 씨는 이렇게 말하고 모스 부인에게 눈을 찡긋해 보였다.

모스 부인은 터지려는 웃음을 참느라 입술을 깨물었다. 사실 모리스 씨의 말은 늙어빠진데다 아주 느림보였기 때문이다. 그런데다 걸을 때는 앞발을 높이 쳐드는 묘한 버릇까지 있었다.

"저는 말을 무척 좋아하기 때문에 어떤 말이든 함부로 다루지 않아요. 그리고 말이 아니라도 네발짐승이라면 어떤 것이든 탈 줄 압니다. 모로코의 왕이라는 사나운 말을 타기도 했었죠."

"그럼 소를 풀밭으로 몰고 가는 것쯤은 문제도 아니겠구나."

모리스 씨가 말했다.

"코끼리, 낙타, 타조, 곰, 당나귀 같은 것을 한꺼번에 여섯 마리씩이나 몬 적도 있어요. 그러니까 소도 몰 수 있을 거예요."

여유를 되찾은 벤은 입가에 미소까지 띠며 대답했다.

모리스 씨는 벤의 자신 있는 태도가 마음에 들었지만, 짐짓 엄한 표정을 지으며 말했다.

"이 마을엔 코끼리나 낙타 같은 건 없다. 곰은 많았지만, 그건 사람들이 다 쫓아 버렸지. 당나귀는 아직도 많아. 그리고 또 타조보다는 닭이 더……."

벤이 웃음을 터뜨리는 바람에 모리스 씨는 말을 계속할 수가 없었다.

모스 부인과 모리스 씨도 벤을 따라서 웃었다. 그 웃음은 어떤 재미있는 말보다도 세 사람을 기분 좋게 만들었다.

이윽고 모리스 씨는 웃음을 그치고 황급히 평소의 무뚝뚝한 얼굴로 돌아갔다. 그리고 등뒤에 있는 유리창을 손가락으로 툭툭 건드리며 근엄한 표정으로 말했다.

"네게 어떤 일이 맞는지 봐야 하니까, 얼마 동안 소를 먹여 보도록 해라. 모스 부인, 이 아이를 댁에서 지내게 할 수 있겠습니까?"

"네, 저의 집에서 데리고 있겠습니다. 아무래도 제가 보살펴 주어야 할 것 같아요."

모스 부인이 대답했다.

"네가 열심히 일하고 있으면, 네 아버지에 대해서도 알아봐 주마. 아버지가 돌아오셨을 때 부끄럽지 않은 사람이 되어야지."

모리스 씨의 말에 벤은 목이 메었다.

"고맙습니다……. 열심히 일하겠습니다. 아버지는 틀림없이 저를 데리러 오실 거예요."

그 말을 하며 벤은 그 동안 모리스 씨 앞에 나서지 못할 만큼 나쁜 짓을 하지 않은 것을 다행으로 여겼다.

잠시 후, 모리스 씨는 머리카락이 빨간 패트라는 사람을 불렀다.

"이 아이를 데리고 가서 소를 모는 일부터 시켜 보게. 그리고 틈틈이 잔심부름도 시키면서 일을 잘하는지 살펴보고 내게 알려 주게."

패트는 모리스 씨의 분부를 들으며 못마땅한 듯 벤을 훑어보다가 말했다.

"그렇게 하겠습니다. 자, 나를 따라오너라."

벤은 모리스 씨와 모스 부인에게 인사를 하고 패트를 따라 밖으로 나갔다.

뒤뜰에 있는 말을 본 벤은 너무 좋아서 패트가 곁에 있다는 사실도 잊었다. 월링턴 공작이라는 이름을 가진 그 말은 모리스 씨가 평소에 타고 다니는 것이었다.

벤은 두려워하는 기색 없이 그 곁으로 다가갔다. 월링턴 공작은 귀를 뒤로 젖혀 귀찮다는 뜻을 나타냈다. 벤은 익숙한 솜씨로 월링턴 공작의 코를 쓰다듬어 주면서 가볍게 혀를 찼다. 그러자 말은 다정한 말이라도 들은 듯 귀를 쫑긋거렸다.

"야, 그러다가 그놈에게 물어뜯기지 말고 이리 와."

패트가 눈을 흘기며 말했다.

사실 패트는 다른 사람이 볼 때는 월링턴 공작을 소중히 다루었지만, 아무도 보지 않는 데서는 무척 심하게 굴었기 때문에 이따금 물어뜯기기도 했던 것이다.

"괜찮아요. 난 안 무서워요. 이것 보세요, 이 말은 내가 제 친구라는 것을 잘 알고 있어요."

벤은 말의 얼굴에 뺨을 갖다 댔다. 말은 반갑다는 듯 코를 실룩거렸다.

그 모습을 창가에서 내다보고 있던 모리스 씨가 소리쳤다.

"그 애에게 월링턴 공작의 등에 안장을 달도록 시키게! 나는 곧 외출을 해야 하니까."

벤은 재빨리 말에 안장과 마차를 달아 가지고 현관 앞으로 몰고 갔다. 모리스 씨가 밖으로 나왔을 때, 벤은 말머리께에 서서 웃고 있었다.

모리스 씨는 벤이 말을 귀하게 다루는 것이나 안장을 얹는 솜씨가 퍽 마음에 들었다. 하지만 겉으로는 무뚝뚝한 얼굴로 짤막하게 한 마디 했을 뿐이다.

"잘 했다."

모리스 씨가 월링턴 공작을 타고 나가자, 벤은 곧장 외양간으로 갔다.

패트가 문을 여니, 안에서 매끈한 털을 가진 암소 네 마리가 천천히 걸어나왔다.

벤은 패트가 일러 준 대로 저택에서 약간 떨어진 넓은 목장으로 소를 몰았다.

목장으로 가는 도중에 학교가 있었다. 창 너머로 공부하는 아이들의 머리가 보였다.

화창하게 갠 날씨에, 한창 놀고 싶어할 나이의 아이들이 몇 시간씩 교실에 틀어박혀 공부를 하고 있는 것이 불쌍해 보였다.

그 때, 산들바람에 실려 종이 한 장이 날아와 벤 앞에 떨어졌다.

'이게 뭐지?'

벤이 주워서 들여다보니, 그 종이에는 알 수 없는 그림이 그려져 있었다. 옛날에 사용되던 배가 몇 척 바다 위에 떠 있고, 이상한 옷차림의 남자들이 막 뭍에 오르려 하는데, 해변에서는 인디언들이 춤을 추고 있는 그림이었다.

'도대체 무슨 뜻이야?'

벤은 몹시 궁금했으나, 글을 읽지 못하니 알 수가 없었다. 저녁때 뱁과 베티에게 물어 볼 생각으로 그 종이를 접어 주머니에 넣었다.

저녁 식사가 끝나자, 뱁과 베티는 인형놀이를 하며 어제부터 일어난 일들에 대해 이야기했다. 조용하게 살던 두 소녀에게는 낯선 소년과 개의 출현은 참으로 놀라운 사건이었다.

아침에 갈림길에서 헤어진 후로 두 소녀는 아직까지 벤을 보지 못했다. 벤은 모리스 씨 댁에서 식사를 하고, 패트를 따라 일을 나갔기 때문이다.

"돌아올 시간이 지났는데……. 얼른 왔으면 좋겠다."

베티가 기다리기가 지루하다는 듯 중얼거렸다.

동물을 좋아하는 뱁은 벤으로부터 산초에게 춤을 추게 하는 방법을 배우겠다고 했다.

"그러면 언제든지 산초가 춤을 추도록 할 수 있겠지?"

그 때, 무엇인가 '쾅!' 하고 대문에 와서 부딪히는 소리가 났다. 창밖을 내다보니, 벤의 머리가 문 위로 나타났다가 사라졌다.

"아니, 저게 뭐야?"

다음 순간, 벤은 대문의 아치 위로 훌쩍 뛰어올랐다.

"자, 여러분! 지금부터 날아가는 큐피드의 재주를 보여드리겠습니다. 유럽 여러 나라에서 찬사를 받은 천재 소년, 불룸베리가 등장하겠습니다!"

그것은 서커스 단장 스미더스가 항상 하던 인사말이었다.

벤은 곧 문기둥에 곤두섰다가 아치에 발을 걸고 빙빙 돌더니, 물구나무를 서서 담 위를 걸어다녔다. 정말 아슬아슬한 묘기였다.

아마 오랜 세월이 흐르는 동안 말없이 서 있던 문도 깜짝 놀랐을 것이다. 지금까지 벤처럼 그 앞에서 묘기를 부린 아이는 없었으니까.

마지막으로 이 천재적인 곡예사는 아치 곁에 붙어서서 눈을 동그랗게 뜨고 구경하는 관중들에게 키스를 보내는 시늉을 했다.

"우와, 멋져!"

벤의 묘기에 뱁과 베티는 뜨거운 박수를 보냈다.

곁에서 얌전하게 구경만 하고 있던 산초도 멍멍 짖으며 벤에게 달려갔다.

"벤, 이제 그만 내려와! 지주 어른 댁에서 무슨 일을 했는지 이야기해 줘. 지주 어른은 무섭지 않았니? 일은 힘들지 않았어?"

뱁은 벤이 미처 대답할 틈도 주지 않고 물었다.

벤은 발갛게 달아오른 얼굴을 라일락 가지로 부채질을 하며 식혔다.

"내려가고 싶지 않아. 나는 여기가 좋거든. 일이야 이것저것 많이 했지. 지주 어른은 무섭지 않았냐고? 전혀 안 무서웠어. 내게 10센트를 주셨지. 나는 지주 어른이 정말 좋아졌어. 하지만 그 홍당무 같은 사람은 마음에 안 들어. 언제 한번 혼을 내 주어야지."

벤이 10센트짜리 은화를 꺼내려고 주머니를 뒤지자, 낮에 학교 근처에서 주운 종이가 나왔다. 그것을 보니, 글을 읽지 못해 답답했던 생각이 났다.

"이게 뭔지 좀 가르쳐 줘. 이 남자들은 뭐하고 있는 거냐? 산초, 이걸 저 애들에게 갖다 줘."

산초는 벤이 떨어뜨린 종이를 조심스럽게 물어다가 뱁과 베티 앞에 갖다 놓은 다음, 저도 궁금한 듯 그 앞에 쭈그리고 앉았다.

뱁과 베티는 종이를 펴 들고 옆에 씌어 있는 글을 소리내어 읽기 시작했다.

"해가 뜨자 뭍이 보였다. 아름다운 곳이었다. 온갖 종류의 꽃이 피어 있고, 하늘을 찌를 듯 높은 나무에는 탐스러운 열매가 달려 있었다. 그들은 일찍이 이렇게 아름다운 곳을 보지 못했다. 벌거숭이 토인들이 해안에 선 채 고개를 갸웃거리며 에스파냐 배를 쳐다보고 있었다.

그들은 그 배를 커다란 새로 생각했다. 흰 돛은 날개이며, 배에 타고 있는 에스파냐 사람들은 새를 타고 하늘에서 내려온 천사인 줄 알았다……."

"이건 콜럼버스가 산살바도르 섬에 처음 발을 들여 놓을 때의 이야기야. 아메리카 대륙 발견을 말하는 거지. 너, 콜럼버스를 모르니?"

뱁이 물었다.

벤은 얼굴을 붉히며 고개를 저었다.

모르는 것이 부끄러웠지만, 그보다는 궁금한 마음이 앞섰다.

"콜럼버스가 누구야? 그 뱃머리에 서 있는 사람이야? 또 산살바도르는 어디야?"

"아니, 넌 열두 살이나 되었으면서 이런 쉬운 역사를 모른단 말이야?"

뱁이 재미있다는 듯 웃으며 말했다.

벤처럼 재주 많은 소년이 누구나 알고 있는 일을 모르다니, 기가 막히기도 하고 우습기도 했던 것이다.

"무슨 말을 해도 괜찮아. 그런데 그 배에 타고 있는 사람이 누구야? 난 그 사람이 좋아 보여."

뱁은 벤에게 무엇인가 가르쳐 줄 수 있다는 사실을 기뻐하며, 콜럼버스가 아메리카 대륙을 발견했던 이야기를 알아듣기 쉽게 설명했다. 도중에 베티가 몇 차례 끼어들어 틀린 곳을 고쳐 주었다. 뱁은 역사에 대한 상식이 풍부한데다 말솜씨도 좋아, 벤은 흥미로운 표정으로 열심히 귀를 기울였다.

"재미있다! 이 10센트로 그런 이야기가 씌어 있는 책을 살 수 있을까?"

"그럴 필요 없이 내 책을 읽으면 되잖아. 내 책을 빌려 줄게. 그리고 모르는 것은 가르쳐 줄게."

밥이 큰소리를 쳤다.

"나는 밤이 되어야 시간이 나는데, 그 때는 너도 공부를 해야 할 거 아니야."

바람에 날려온 종이 한 장이 벤의 마음속에 무엇인가를 배우고 싶은 의욕을 불러일으켜 주었던 것이다.

벤의 말에 밥은 난처한 표정을 지었다.

"듣고 보니 그러네. 그럼 아침에 내가 학교 가기 전에 읽으면 어떨까?"

"그것도 곤란해. 나는 아침 일찍 일어나서 일하러 가야 하거든."

잠시 생각에 잠겨 있던 벤의 얼굴이 환해졌다.

"이렇게 하면 어떨까? 내가 소를 몰고 목장으로 가는 동안 책을 읽는 거야. 소는 천천히 걸으니까, 그 사이에 충분히 읽을 수 있겠지."

"역사 시간에는 책이 있어야 하는데……."

밥이 걱정스러운 얼굴로 말했다.

"목장에서 돌아올 때 교실 창문이나 문 안에 넣어 둘게. 책은 깨끗이 볼 테니 염려 말고. 돈이 많이 모이면 새 책을 사서 네게 줄게. 헌 책은 내가 보면 되고……."

"그래, 그러면 되겠다! 하지만 선생님께 혼날지도 모르니까 책을 창문에 얹어 두면 안 돼. 학교 담모퉁이에 큰 단풍나무가 있는데, 그 나무 옆에 넓적한 돌이 있어. 그 돌 밑의 작은 구멍이 내 비밀 장소야. 거기다 넣어 둬."

"그거 그럴듯한데!"

"벤, 네가 읽고 싶다면 나도 책을 빌려 줄게. 멋진 그림이 있는 재미있는 책이거든."

베티가 뱁의 눈치를 살피며 조심스럽게 말했다.

다른 일 같으면 진작 끼어들었을 텐데, 공부에는 언니만큼 자신이 없었기 때문에 눈치만 살피고 있었던 것이다.

"그림책보다 수학책이 필요한데……. 읽을 줄은 알아도 계산을 못 하면 큰일이거든. 곧 급료도 받을 텐데 말이야."

벤은 마치 돈이 주체할 수 없이 많아서 계산하는 데 골치를 썩이는 부자처럼 말했다.

"수학도 내가 가르쳐 줄게. 베티는 수학을 잘 못하거든. 하지만 받아쓰기는 잘해. 반에서 항상 1등이야. 아무리 어려운 맞춤법도 틀리는 일이 없기 때문에 선생님도 칭찬하신단다."

뱁이 웃으며 베티를 칭찬했다.

베티는 좋아서 입이 벌어졌다. 뱁은 좀처럼 베티를 칭찬하는 법이 없었던 것이다.

"학교에 다니지 못해서 잘은 모르지만, 그래도 쉬운 글자는 읽고 쓸 줄 알아. 자, 봐."

벤은 아끼는 분필을 꺼내어 검은 돌 위에 글씨를 써 보였다. 얌전한 솜씨였다.

"글씨가 아주 예쁜데! 누구한테 배웠어?"

뱁과 베티가 감탄한 얼굴로 물었다.

"서커스단에 있을 때 아빠한테 배웠어. 포스터의 글씨를 보고 가르쳐 주셨지. 맨 처음 배운 글자는 '사자'였어. 사자 우리에 쓰인 글자를 보고 읽었더니, 아빠가 매우 기뻐하셨어."

그날 밤, 벤은 사자를 비롯한 온갖 동물에 관한 재미있는 이야기를 해서 두 소녀를 즐겁게 해 주었다.

미스 실리아

이튿날 아침, 벤은 모리스 씨 댁으로 갔다. 그의 주머니에는 뱁의 역사책이 들어 있었다. 어제 말한 대로 그는 소를 몰고 목장으로 가면서 책을 읽었다. 덕분에 소들은 마음놓고 천천히 풀을 뜯어먹을 수 있었다.

벤은 목장에 가서도 공부를 계속했다. 소들이 목장에서 풀을 뜯는 동안 읍내에 심부름을 다녀왔는데, 오가는 길에도 책에서 눈을 떼지 않았다.

책에 정신이 팔려 걷다 보니, 어느덧 학교 앞에 이르렀다. 베티가 말한 비밀 장소는 쉽게 찾을 수 있었다. 벤은 모리스 씨에게서 받은 10센트로 산 사탕 두 개를 책과 함께 그 비밀 장소에 넣어 두었다. 책을 빌려 준 데 대한 감사의 뜻이었다.

뱁과 베티는 쉬는 시간에 책과 함께 그 사탕을 발견하고 뛸 듯이 기뻐했다. 소녀들의 집안 형편은 과자나 사탕을 자주 사먹을 만큼 좋지 못했고, 또 벤의 전재산인 10센트를 털어서 산 것이라 그런지 더욱 맛이 좋았던 것이다.

뱁과 베티는 사탕을 깨뜨려 친구들과 나누어 먹었다. 그러나 비밀 장소에 대해서는 아무에게도 말하지 않았다. 모두 알게 되면 비밀 장소가 아니니까.

학교가 끝나 집으로 돌아간 뱁과 베티는 어머니에게 낮에 있었던 일을 이야기했다.

모스 부인은 매우 기뻐하면서 더욱 열심히 공부하라고 벤을 격려한 다음, 두 딸에게 말했다.

"얘들아, 재봉 실습도 할 겸 벤에게 셔츠 하나 만들어 주렴."

남자라서 그런지, 벤은 단벌 셔츠가 더러워지거나 말거나 신경을 쓰지 않았다.

마침 바이튼 부인이 적당한 천을 주었으므로, 뱁과 베티는 그것으로 벤의 셔츠를 만들기로 했다.

수요일 오후에 재봉 시간이 들었다. 뱁과 베티는 제각기 벤이 입을 셔츠의 팔 한 개씩을 맡아서 열심히 바느질을 했다.

벤이 모리스 씨 댁에서 일을 한 지도 일 주일이 지났다. 벤은 일을 하기 싫어 꾀를 부리거나 불평하거나 하지 않고 열심히 했다. 단지 빨강머리 패트가 궂은 일만 골라서 시키고, 자기 할 일까지 떠맡기는 것이 속상했을 뿐이었다.

모리스 씨와 그의 부인은 벤이 일하는 것을 보고 만족스러워했다

벤은 소를 몰고 가면서 공부하는 것이 즐거웠다. 그리고 저녁때 집으로 돌아와, 뱁과 베티와 나란히 라일락 그늘에 앉아서 학교놀이를 하며 낮에 배운 것을 복습하는 것도 커다란 즐거움이었다.

뱁과 베티는 자기들이 알고 있는 것은 벤에게 모두 가르쳐 주었다. 배우면 배울수록 벤은 자기가 너무나 아는 것이 없다는 사실을 뼈저리게 느꼈다. 그래서 혼자 낱말을 익히기도 하고, 더하기와 빼기를 연습하기도 했다. 일할 때는 구구단을 외우기도 했다.

다음 화요일 저녁, 모리스 씨는 그 동안 잘했다고 벤을 칭찬하면서 1달러를 주었다. 그리고 괜찮다면 일주일쯤 일을 더 해 달라고 부탁했다. 벤은 고마운 마음에 더 일하고 싶다고 예의바르게 대답했다.

다음 날 아침, 벤은 어제와 마찬가지로 목장으로 소들을 데리고 갔다. 그런데 목장 울타리에 올라앉아 앞으로의 일을 생각하니 골치가 아팠다. 자기 할 일까지 미루는 패트 밑에서 일하는 것이 지겹다는 생각이 들었다.

벤은 부지런하고 나이에 비해 영리했지만, 떠돌아다니며 사는 생활이

몸에 배어 있었다. 따라서 착실하고 규칙적인 것보다는 새롭고 변화 있는 생활을 더 좋아했다.

이대로 있다가는 고달프고 아무 재미 없는 날들이 이어질 뿐이다. 김을 매거나 땅을 가는 일에도 점차 싫증이 났다. 뒤뜰에 산같이 쌓여 있는 장작을 광으로 옮기고 난 후, 딸기도 따야 한다. 만일 아빠가 데리러 오지 않는다면, 벤은 아무 재미도 없는 그런 일을 계속해야 하는 것이다.

사실 벤이 싫은 것을 억지로 참고 지낼 이유는 없었다. 깨끗한 옷도 있고, 주머니 속에는 돈이 1달러나 있었다. 이렇게 날씨가 좋을 때는 떠돌아다니며 사는 생활도 무척 즐거울 것이다. 몇 년 동안 집시처럼 떠돌아다니는 천막 생활을 해 온 벤이니, 아무것도 두려울 게 없었다.

목장 울타리에 걸터앉아 끝없이 펼쳐진 길을 바라보니, 불현듯 달아나고 싶은 생각이 들었다. 산초도 어린 주인의 생각을 안다는 듯 벤을 쳐다보며 컹컹 짖었다.

'벤, 어서 가자. 이 길을 지칠 때까지 달려 보자고.'

마치 그렇게 말하는 것 같았다.

하늘에 뜬 구름, 울타리 곁을 달리는 다람쥐까지도 귀찮은 일은 내버려 두고 어서 달아나라고 재촉하는 것 같았다.

그러나 막상 그런 생각을 행동에 옮기려고 하니 마음에 걸리는 것이 있었다.

'만일 내가 달아난다면, 모스 부인은 얼마나 괘씸하게 여길까? 또 뱁과 베티는 얼마나 섭섭해할까?'

그런데 그 무렵, 우연히 일어난 어떤 일이 벤의 생각을 돌려놓았다. 덕분에 벤은 하마터면 놓칠 뻔했던 행복을 잡을 수 있었다. 물론 그것은 훨씬 나중에서야 알게 되었지만…….

말은 벤에게는 둘도 없는 친구였다. 바로 그 말이 잘못된 길로 갈 뻔한 벤의 생각을 돌이키게 해 주었다.

벤은 여러 가지 복잡한 생각을 털어 버리고 싶어, 조용히 산책이나 하려고 울타리를 뛰어내렸다. 바로 그 때 말발굽 소리가 들려왔다. 벤은 눈을 크게 뜨고 소리나는 쪽을 바라보았다.

기세 좋게 달려오던 말은 길모퉁이에 이르자 갑자기 속도를 늦추었다. 첫눈에 좋은 말이라는 것을 알 수 있는 그 밤색 말에 탄 사람은 젊고 아름다운 여자로, 짙은 푸른색 옷에 노란 민들레꽃을 가슴에 꽂고 있었다. 손잡이가 은으로 된 말채찍이 안장 앞에 걸려 있는 것이 눈에 띄었다.

그런데 그 밤색 말은 다리를 약간 절룩거리면서 고통스러운 듯 머리를 내두르고 있었다. 그 젊은 여자는 몸을 구부려 말의 목덜미를 부드럽게 두드리면서 말했다.

"무슨 일이지, 시바리타? 발굽에 돌이라도 박힌 거냐? 그러니까 앞을 잘 살피며 가야지."

벤이 다가가서 말했다.

"제가 봐 드릴게요."

별안간 나타난 소년을 보고 말이나 말에 탄 젊은 여자나 모두 깜짝 놀란 듯했다.

그러나 그 젊은 여자는 곧 미소를 지으며 말했다.

"할 수 있거든 한번 해 봐. 시바리타는 사납지 않으니까 겁내지 말고……."

"정말 훌륭한 말이군요."

말의 발굽을 번갈아 들어 보면서 벤이 감탄한 얼굴로 말했다.

이윽고 벤은 발굽에 박힌 작은 돌을 빼냈다.

"아, 그런 게 박혀 있었구나. 고맙다. 그런데 저 네거리로 가면 라일락 저택으로 갈 수 있니?"

젊은 여자가 천천히 말을 몰면서 벤에게 물었다.

"라일락 저택이요? 잘 모르겠는데요. 저는 여기 온 지 얼마 안 되어서, 모리스 씨 댁과 모스 부인 댁밖에는 몰라요."

"아, 너도 그분들을 알고 있구나! 나는 바로 그분들을 만나러 가는 길이란다. 와 본 지가 하도 오래 되어 기억이 희미하지만, 느티나무 길 옆에 있는 큰 집인데……."

"아, 그 집이라면 저도 잘 알아요. 그게 바로 라일락 저택이군요. 뱁과 베티가 거기서 잘 놀아요. 저도 그 애들과 함께 놀 때도 있지만……."

벤은 처음 그 집에 들어갔던 때를 생각하고 속으로 웃었다.

"뱁과 베티? 그 애들은 누구지? 네 누이들이냐?"

벤은 말과 나란히 걸으며 뱁과 베티를 만나게 된 일을 이야기했다. 바로 조금 전에 달아나려 했던 사실은 까맣게 잊어버렸다.

이윽고 갈림길에 이르자, 벤은 그 자리에 멈춰 서서 말했다.

"이쪽이 라일락 저택, 저쪽은 모리스 씨 댁으로 가는 길이에요."

"고맙다. 먼저 라일락 저택에 가 봐야겠구나. 모리스 씨 댁에 가거든, 미스 실리아가 점심때 인사를 드리러 가겠다고 전해 주겠니? 그럼 나중에 보자."

미스 실리아는 미소 띤 얼굴로 손을 흔들고 말을 달려 가 버렸다.

벤은 미스 실리아의 말을 전하기 위해 모리스 씨 댁으로 달렸다. 벤의 가슴은 새롭고 즐거운 일이 일어날 것 같은 기대로 부풀었다.

오후 1시쯤, 미스 실리아가 모리스 씨 댁으로 왔다. 벤은 자기도 모르게 신이 났다. 그래서 싫어하는 패트와 함께 시바리타를 마구간으로 몰고 가서 정성스럽게 손질까지 해 주었다.

점심 식사를 서둘러 마친 다음, 벤은 뒤뜰에 쌓인 장작을 광으로 옮기기 시작했다. 바로 몇 시간 전까지만 해도 지겹게 생각되던 일이었다.

장작을 옮기면서 이따금 식당 안을 엿보니, 희끗희끗한 머리 사이로 아름다운 갈색 머리가 보였다. 도니, 실리아, 혹은 조지라는 이름이 간간이 들렸다. 이따금 들리는 미스 실리아의 밝은 웃음소리는 아름다운 음악처럼 온 집안에 울려 퍼졌다.

이윽고 미스 실리아가 돌아가려고 하자, 벤은 맥이 빠졌다. 패트는 벤에게는 얼씬도 못하게 하고 혼자서 시바리타를 손질했다.

그러나 미스 실리아는 꼬마 안내자 벤을 잊지 않았다. 장작더미 뒤에서 서성거리던 벤에게 손을 흔들어 주었던 것이다. 패트가 못마땅한 듯 눈을 흘겼으나, 벤은 무시하기로 했다.

벤의 손에 반짝이는 25센트짜리 은화를 쥐어 주며 미스 실리아가 말했다.

"시바리타의 발굽에 박힌 돌을 빼내 준 것이 고마워서 주는 거야."

"전 그저 이렇게 훌륭한 말이 다리를 절룩거리는 것이 딱했을 뿐이에요."

"넌 말에 대해서는 모르는 게 없다면서? 모리스 씨가 그러시더구나. 너는 말이 뭐라고 말하는지 알아들을 수 있니? 나는 지금 그걸 배우고 있단다."

미스 실리아가 미소 띤 얼굴로 말했다.

"저는 학교에 다닌 적이 없어서 그런 건 몰라요."

벤의 말에 미스 실리아는 소리 내어 웃었다.

"아, 그런 건 학교에서 배우는 게 아니란다. 다음에 올 때 내가 책을 갖다 줄게. 걸리버라고 하는 사람이 말의 나라에 갔더니, 거기서는 말들이 서로 이야기를 주고받더라는 거야."
"우리 아빠는 말을 많이 다루셨어요. 하지만 말이 서로 이야기를 나눈다는 말은 못 들었는데요."
벤은 실리아가 우스갯소리를 하는 것으로 생각했다.
"그래? 아무튼 다음에 올 때 그 책을 갖다 줄게."
그리고 미스 실리아는 말머리를 돌려 달려갔다.
그 날은 뱁과 베티에게도 아주 신나는 날이었다. 점심 시간에 집에 와 보니, 생각지도 않은 손님이 와 있었다. 그 아름다운 손님은 마치 오래 전부터 친하게 지낸 사람처럼 다정하게 이야기를 건네고, 두 소녀가 다시 학교로 돌아갈 때는 품에 안고 키스까지 해 주었다.
수업이 끝나자, 뱁과 베티는 쏜살같이 집으로 돌아왔다. 그러나 손님은 이미 돌아가고, 어머니는 집 안을 치우고 있었다.
"엄마, 낮에 왔던 그 젊은 여자 손님은 누구예요?"
뱁이 물었다.
"바로 이 집 주인인 미스 실리아란다. 오랫동안 다른 데서 살다가 이번에 돌아오게 되었지. 혼자가 아니라 건강이 좋지 않은 남동생 도니, 그리고 공작을 비롯한 온갖 동물들과 함께 온단다."
모리스 부인이 말했다.
신이 난 뱁과 베티는 새끼고양이처럼 온 집 안을 뛰어 돌아다녔다.
저녁때 일을 마치고 돌아온 벤도 그 이야기를 듣고 흥분하여 가슴이 두근거렸다.
"미스 실리아가 빨리 이사 왔으면 좋겠다. 공작이 우는 걸 보게……."
뱁이 기대에 찬 얼굴로 말하며, 기다리기가 지루하다는 듯 한쪽 발로 깡충깡충 뛰었다.
"공작보다 나는 시바리타를 어디에 둘지 그게 걱정이야."

풀밭을 뒹굴며 벤이 말했다.

“시바리타가 누구야?”

베티가 물었다.

“미스 실리아의 말이야.”

“아, 말이라면 집 안이 정리될 때까지 지주 어른 댁에 맡겨 둔다고 했어. 아까 지주 어른과 엄마가 말씀하시는 것을 들었지. 지주 어른은 네가 일하는 게 무척 마음에 드셨는지, 입에 침이 마르도록 칭찬하시더구나.”

벤은 잠자코 있었다. 그러나 마음속으로는 달아나지 않기를 잘했다고 생각했다.

“언제든지 그림이나 책을 보게 집 안에 마음대로 드나들 수 있었으면 좋겠어. 미스 실리아는 상냥한 사람이니까, 안 된다고는 하지 않겠지.”

동물보다 책을 좋아하는 베티가 말했다.

“귀찮게 그런 부탁을 하면 못써. 그보다도 현관에 놓아 둔 장난감들이나 치워라. 미스 실리아는 늘어놓는 것을 싫어할 거야.”

문의 먼지를 떨고 있던 모스 부인이 말했다.

그 말에 뱁과 베티는 울상을 지었다.

“그럼 우린 어디서 놀지? 다락은 너무 덥고, 마당은 닭들 때문에 정신없는데……. 이젠 현관에서 소꿉놀이를 할 수 없어요?”

뱁이 뾰로통한 표정으로 물었다.

“걱정 마, 언니. 벤이 과수원 안에 소꿉놀이를 할 수 있는 작은 집을 만들어 줄 거야.”

베티가 말했다.

베티는 벤은 어떤 일이든 다 할 수 있다고 생각하는 것 같았다.

2, 3일 후부터 미스 실리아의 이삿짐을 실은 마차가 도착했다. 틈만 나면 벤은 그 이삿짐 마차를 구경했다.

마차 뒤쪽에는 마부의 자리가 있었는데, 벤은 그것을 보며 생각했다.

'내가 저 자리에 앉으면 얼마나 멋질까?'

벤은 매일 심술궂은 패트가 시키는 힘든 일을 하면서도, 나중에 돈을 많이 벌면 미스 실리아의 것처럼 멋진 마차를 사서 뱁과 베티를 태워 주겠다는 꿈을 가졌다.

이삿짐 속에는 여러 가지 가구가 있었는데, 뱁과 베티는 그 중 작은 피아노를 보고 좋아서 깡충깡충 뛰었다.

아이들에게 있어서 이사처럼 즐거운 일은 또 없을 것이다. 뱁과 베티는 물론, 벤도 좋아서 어쩔 줄을 몰랐다.

모스 부인 말대로 동물도 온갖 종류가 다 있었다. 뱁이 기다리던 공작을 비롯하여, 당나귀, 토끼까지 있었다. 마을 사람들은 공작을 보고 눈이 휘둥그레지고, 당나귀가 '히힝!' 하고 울자 웃어 댔다. 토끼장에서 기어 나온 토끼들은 뜰 안을 깡충깡충 뛰어다녔다.

시바리타는 이삿짐이 정리될 때까지 모리스 씨 댁 마구간에 가 있게 되었다. 그 때까지 혼자만 잘난 체하던 월링턴 공작은 시바리타의 등장에 기가 죽었다.

이삿짐이 도착한 지 며칠 후의 어느 날 밤, 마침내 미스 실리아와 그 동생인 도니, 그리고 가정부들이 도착했다. 너무 늦게 왔으므로, 뱁과 베티, 벤은 잠이 들어 있었다.

이튿날 아침, 다른 때보다 일찍 일어난 아이들은 미스 실리아에게 인사하러 간다고 서둘렀다.

"너무 이르지 않니? 미스 실리아는 피곤이 덜 풀려서 아직 자고 있을

텐데…….”

모스 부인이 말렸으나, 아이들은 들으려 하지 않았다. 모스 부인은 마지못해 아이들이 미스 실리아에게 가는 것을 허락했다.

벤은 토끼에게 준다면서 토끼풀을 가지고 가고, 뱁과 베티는 미스 실리아에게 선물한다며 신선한 우유와 달걀을 가지고 갔다.

“안녕! 모두 잘 잤니?”

세 아이들이 현관 가까이 이르렀을 때, 뜻밖에도 미스 실리아가 밝은 목소리로 아침 인사를 했다.

모스 부인의 생각은 보기 좋게 빗나간 것이다.

뱁은 깜짝 놀라 하마터면 우유를 쏟을 뻔했고, 베티는 접시에 담아 가지고 간 달걀을 떨어뜨릴 뻔했다.

“안녕히 주무셨어요? 말씀만 하시면 시바리타는 언제든지 데리고 올 수 있어요. 저는 무척 힘이 세거든요.”

가슴에 안은 토끼풀 사이로 고개를 내밀며 벤이 들뜬 목소리로 인사를 했다.

“그거 다행이구나. 오늘 오후 네 시쯤 데려다 주겠니? 도니는 아직 피곤해서 마차를 몰 수 없을 거야. 앞으로 나는 날씨가 좋든 나쁘든 매일 한 차례씩 우체국에 가야 한단다.”

그 말을 하면서 미스 실리아는 왠지 얼굴을 살짝 붉혔다. 그것이 생각만 해도 즐거운 일이기 때문인지, 아니면 아이들이 흰 옷을 입은 채 라일락꽃 그늘에 서 있는 자신의 모습을 황홀한 듯 바라보고 있었기 때문인지 그것은 알 수 없었다.

“온 집안이 눈이 번쩍 뜨이게 깨끗해졌는데, 너희들도 청소하는 걸 도와 드렸니?”

“저는 화단 청소를 했어요.”

벤이 자랑스러운 듯 둥글거나 달걀 모양인 화단을 돌아보며 말했다.
"저는 대문에서 현관까지 길을 쓸었어요."
뱁이 밤사이 길에 떨어져 있는 나뭇잎을 아쉬운 듯 곁눈질하며 말했다.
"저는 현관을 청소했어요."
베티는 그 말 끝에 한숨을 쉬었다. 이제는 자기들의 놀이터가 없어졌구나 생각하니 자기도 모르게 한숨이 나왔던 것이다.
"현관 청소를 했다고? 그럼 거기 있던 장난감들은 다 어떻게 했지?"
미스 실리아가 물었다.
그녀는 베티의 한숨에 어떤 뜻이 숨어 있는지 금방 알아채고, 한숨을 웃음으로 바꾸어 주고 싶었던 것이다.
"엄마가 미스 실리아는 늘어놓는 것을 싫어하실 거라고 하셨어요. 그래서 다른 곳으로 옮겼어요."
"아, 그랬었구나. 난 오히려 장난감이나 인형 같은 걸 좋아하는데. 오늘 저녁 차 마시는 시간에 너희들을 모두 초대할 생각인데, 그 때 각자 마음에 드는 장난감이나 인형을 가져오지 않겠니?"
"정말 그래도 돼요?"
얼굴이 활짝 밝아지며 뱁과 베티가 동시에 소리쳤다.
"물론이지. 너희들이 좋아하는 것을 가지고 와. 나도 내 장난감을 찾아볼 테니까. 벤, 네 귀염둥이 개도 특별 손님으로 초대할게."
그러면서 미스 실리아는 벤 곁에 웅크리고 앉아 있는 산초를 바라보았다.
산초는 '뭐 시키실 일이라도 있나요?' 하는 표정으로 미스 실리아에게 다가가더니, 앞발을 번쩍 들고 섰다.
"초대해 주셔서 감사합니다. 저희들도 그럴 줄 알았어요. 놀러 와도 좋다고 말씀하시리라는 것을 알고 있었지요. 저도 그렇지만, 뱁은 이 곳을 무척 좋아한답니다."

벤이 대표로 의젓하게 인사를 했다.

"나도 10년 전에는 이 곳에서 놀았단다. 저 밑에서 라일락꽃을 따기도 하고, 도니를 유모차에 태운 채 왔다갔다하기도 했지. 그 때는 할아버지가 살아 계셔서 좋았었는데, 지금은 우리 둘뿐이란다."

"우리는 아빠가 안 계세요."

뱁이 나지막하게 말했다.

순간, 미스 실리아의 얼굴이 살짝 어두워졌다.

"내겐 멋진 아빠가 계셔. 지금은 어디 계신지 모르지만, 곧 돌아오실 거야."

벤이 마치 누가 기다리고 있기라도 한 것처럼 대문 쪽을 바라보며 말했다.

"아빠가 돌아오시면 벤은 정말 좋겠구나. 그리고 뱁과 베티도 아버지는 안 계시지만 엄마가 계시니 행복하겠다."

아이들을 하나하나 둘러보며 미스 실리아가 말했다.

그 말을 하는 미스 실리아의 얼굴은 막 솟아오른 해님처럼 밝고 아름다웠다.

"저, 우리 엄마를 좀 나누어 드릴까요, 미스 실리아?"

베티가 안됐다는 듯 눈물을 글썽이며 물었다.

이슬을 머금은 제비꽃처럼 아름다운 모습이었다.

"정말 그렇게 해 줄래? 그럼 나는 너희들을 동생으로 삼아야겠구나. 내게는 여동생이 없거든."

뱁과 베티의 통통한 손을 꼭 잡으며 미스 실리아가 말했다.

뱁은 생긋 웃으며 미스 실리아의 하얀 손에 끼여 있는 반지를 바라보았고, 베티는 깡충 뛰어 미스 실리아의 목에 두 팔을 두르고 그 뺨에 키스를 했다.

미스 실리아의 외로운 마음을 따뜻하게 해 주는 사랑스러운 행동이었다. 남자라서 그런지 도니는 아직 누나에게 그런 사랑을 표현한 적이 없었다. 그는 누나가 자기를 얼마나 사랑하는지 잘 모르는 것 같았다.

그 때, 안에서 가정부가 나와 미스 실리아에게 아침 식사가 다 되었다고 알렸다. 그래서 아이들은 미스 실리아와 헤어져 집으로 돌아왔다.

아이들은 집에 들어서자마자, 모스 부인을 에워싸고 저마다 흥분하여 떠들어 댔다.

"미스 실리아는 매일 네 시에 마차를 타고 우체국에 간대요!"

"엄마, 미스 실리아가 저녁에 차 마시는 시간에 우리를 초대했어요! 인형도 가지고 오래요."

"제일 좋은 옷을 입고 가야지."

"우리와 마찬가지로 미스 실리아도 인형과 장난감을 좋아한대요! 정말 재미있을 거야. 그렇지?"

아이들이 다투어 떠들어 대자, 모스 부인은 어리둥절한 표정으로 듣고 있었다.

날마다 거의 비슷한 생활이 되풀이되다 보니, 아이들에게는 특이한 즐거움이 드물었다. 그런 의미에서 미스 실리아의 초대는 그들의 가슴을 설레게 하기에 충분했다.

이윽고 아이들을 배려하는 미스 실리아의 마음을 알게 된 모스 부인은 미스 실리아에게 더할 수 없는 고마움을 느꼈다.

학교에 간 뱁과 베티는 수업이 끝나기만을 기다렸다. 친구들에게 미스 실리아의 초대를 받았다고 자랑하자 모두들 부러워했다.

점심 시간에 집으로 돌아왔으나, 모스 부인은 방해가 된다고 저택 쪽으로는 가지 못하게 했다. 어쩔 수 없이 뱁과 베티는 뒤쪽 숲으로 갔다. 거기서는 저택의 부엌이 보였다. 가정부 캐티가 차 마시는 시간을 위해 여러 가지 음식을 만들고 있는 것이 보였다. 두 소녀는 부엌에서 풍겨 나오는 음식 냄새를 맡으며 저녁 초대 시간이 어서 오기를 빌었다.

벤은 다른 날과 마찬가지로 모리스 씨 댁에 가서 열심히 일하고, 네 시가 되자 패트가 공들여 손질한 시바리타를 끌고 서둘러 라일락 저택으로 왔다. 그리고 마구간에 들어가서 시바리타에게 마차를 매단 다음, 현관에서 기다리고 있는 미스 실리아에게 말했다.

"마차 준비가 됐는데, 대문 앞까지 끌어다 놓을까요?"

"아니, 뒷문 쪽으로 끌어다 다오. 10월까지는 대문을 그냥 닫아 두고 뒷문으로 드나들어야겠어."

이렇게 말하며 미스 실리아는 미소를 지었다.

잠시 후, 미스 실리아는 벤이 뒷문으로 끌어다 준 마차에 올라탔다. 그런데 어쩐 일인지 떠날 생각을 안 했다.

"저, 혹시 잊으신 일이라도 있나요?"

벤이 조심스럽게 물었다.

"한 가지 빠진 게 있는데, 그게 뭔지 알겠니?"

미스 실리아의 말에 벤은 고개를 갸웃거리며 시바리타의 머리끝에서부터 마차 바퀴까지 훑어보았다.

"아무리 봐도 잘 모르겠는데요."

벤이 의아한 얼굴로 쳐다보자, 미스 실리아는 다정한 눈초리로 바라보며 말했다.

"뒷자리에 꼬마 마부가 있으면 좋겠는데……."

그 뒷자리의 꼬마 마부란 바로 자기를 두고 하는 말임을 깨달은 벤은 기쁜 나머지 얼굴이 빨개졌다. 그러나 그는 곧 자신의 초라한 옷차림과 맨발을 내려다보며 고개를 저었다.

"안 되겠어요. 차림새가 이래서……."

그러나 미스 실리아는 고개를 저었다.

"그런 건 중요하지 않아. 괜찮으니 어서 타거라. 저녁 초대 시간까지는 돌아와야 하지 않겠니?"

그 말에 꼬마 마부는 얼른 마부 자리로 뛰어올라 의젓하게 말을 몰기 시작했다.

뒷문을 지날 때, 모스 부인이 고개를 끄덕여 주었다. 벤은 그 답례로 모자의 챙에 살짝 손을 갖다 댔다.

이윽고 학교 옆을 지나게 되었다. 아이들이 우르르 몰려나오는 것을 보고, 벤은 고개를 한층 더 뒤로 젖혔다.

뱁과 베티가 단풍나무 밑에 서 있었다. 벤은 두 사람 앞에서까지 잘난 체할 수는 없었다. 단풍나무 밑의 비밀 장소를 생각하니, 새삼스레 뱁과 베티의 친절이 고마웠던 것이다. 벤은 그들을 향해 손을 흔들며 빙긋 웃었다. 뱁과 베티는 눈이 동그래져서 마차에 타고 있는 벤을 바라보았다.

그 모습을 보고 미스 실리아가 말했다.

"다음에는 저 애들도 태워 줘야겠구나. 벤, 네게 이야기할 게 한 가지 있어."

시바리타가 언덕길을 올라갈 때 미스 실리아가 말했다.

"말씀해 보세요."

"너도 들어서 알겠지만, 내 동생 도니는 건강이 안 좋아. 여기 온 것도 다 그 애 때문이란다. 무슨 수를 쓰든 그 애의 몸과 마음의 건강을 되찾아 주어야 할 텐데, 네가 나를 좀 도와 다오. 벤, 우리 집에서 일해 줄 수 있겠니?"

"네, 좋아요!"
벤은 자기도 모르게 큰 소리로 대답했다. 그만큼 좋았던 것이다.
그런 벤을 다정하게 바라보며 미스 실리아가 말을 이었다.
"몸이 건강하지 못해서 그런지, 도니는 꼭 어린애 같아. 사소한 일에도 화를 잘 내기 때문에 네가 너그럽게 이해를 해야 할 거야. 잘 걷지를 못하니까, 휠 체어에 태워 밀고 다녀야 해. 또 도니가 기르는 동물들도 네가 돌보아 주었으면 하는데, 어떠냐?"
"그런 아이를 돌보는 일이라면 자신 있어요."
벤은 시원스럽게 대답했다.
그러자 미스 실리아가 웃으며 말했다.
"네가 아이라고 말하는 도니가 몇 살인지 아니? 열네 살이야. 그런데 키가 매일 자라고 있으니, 몸집으로 보면 어른 같아. 그렇다고 놀라지는 마라. 몸이 약해서 남을 때리거나 하진 못해. 다만 고집이 세고 짓궂은 편이지. 혹시 그 애가 네게 짓궂게 굴더라도 화를 내지 않을 자신 있니?"
벤은 빨강머리 패트를 생각하며 대답했다.
"네, 심하게 때리거나 하지만 않는다면요."
"그 점은 안심해라. 내가 못하도록 할 테니까. 도니는 너를 무척 만나고 싶어해. 아마 네 이야기를 듣고 싶은가 봐. 모리스 씨도 네가 성실하고 착한 아이라고 칭찬하셨어. 우리 집에서 일한다면 먹을 것, 입을 것은 물론이고, 급료도 줄 수 있다."
"아빠가 오실 때까지만 그렇게 해 주셨으면 고맙겠어요. 지주 어른께서 스미더스 단장에게 편지를 내셨다고 하던데, 지금은 지방 공연을 다닐 때니까 금방 답장이 오지는 않을 거예요."
"잘됐다. 그럼 그 때까지라도 우리 서로 의지하며 지내자. 그러다 보면 너희 아빠가 오실 테지. 나도 하루 빨리 그 날이 오기를 기도할게. 자, 그럼 빵집과 우체국을 가르쳐 주겠니?"

벤은 미스 실리아에게 무엇인가 도움이 되는 것이 기뻤다. 그래서 열심히 일을 하다 보니, 미스 실리아는 그런 벤이 고마워 시장에서 새 밀짚모자와 신발을 사 주었다. 벤은 좋아서 입이 귀 밑에 걸렸다.

우체국에 들른 미스 실리아는 이상한 우표가 붙어 있는 두툼한 편지 한 통을 가지고 나왔다.

미스 실리아가 봉투를 뜯고 편지를 읽는 동안, 벤은 집을 향해 부지런히 마차를 몰았다.

6시 5분 전쯤 되자 초대를 받은 꼬마 손님들이 도착했다.

뱁과 베티는 있는 옷 가운데서 가장 좋은 것을 골라 입고, 머리에는 예쁜 리본을 맸다. 벤도 한껏 멋을 내어 새 셔츠에 새 신을 신었다. 산초도 털을 곱게 빗질하여 더욱 복스럽게 보였다.

전에 뱁과 베티가 벨린다의 생일 파티를 했던 곳 근처에 나지막한 탁자가 놓여 있고, 그 주위에는 네 개의 의자와 발판이 놓여 있었다. 탁자 위 접시에는 먹음직스러워 보이는 파이와 과자, 샌드위치 등이 담겨 있고, 푸른색 잎으로 둘러싸인 꽃 모양의 우유 단지에는 우유가 가득 들어 있었다. 그리고 한쪽 구석에 있는 알코올 램프에는 아담한 찻주전자가 보글보글 끓고 있었다.

"멋있는데!"

"정말!"

"친구들에게도 보여 주었으면 좋겠어."

아이들이 탁자 위의 음식들을 보며 침을 삼키고 있을 때, 바퀴 구르는 소리가 들려왔다. 모두들 소리 나는 쪽을 돌아보니, 미스 실리아가

휠체어에 동생 도니를 태우고 나타났다.

도니는 다리를 담요로 덮고 머리에는 챙 넓은 모자를 썼는데, 뭔가 못마땅한 듯 시무룩한 표정으로 말했다.

"번거롭게 왜 다 불렀지? 너무 시끄러우면 난 들어가 버릴 거야."

"그러면 못써, 도니. 다들 착한 애들이라서, 앞으로 서로 잘 지내라고 부른 거야."

미스 실리아는 동생의 귀에 대고 속삭인 다음, 의자 너머로 아이들을 바라보며 미소를 지었다.

"다들 잘 왔어요. 여러분, 이 애가 바로 내 동생 도니예요. 앞으로 사이좋게 지내기를 바라요. 도니, 저 개 좀 봐. 털이 정말 멋지지?"

미스 실리아는 분위기를 좋게 만들려고 애써 마음을 썼지만, 벤은 도니가 한 말에 벌써 기분을 잡쳤다.

'무슨 일이 있어도 저런 녀석하고는 친하게 지내지 않을 거야!'

그래서 미스 실리아가 사이에 들어 인사를 시키려고 하자, 두 아이는 냉담한 표정으로 서로 다른 곳만 쳐다보고 있었다.

오히려 산초가 아이들보다 더 예의 바르게 행동했다. 사람들처럼 쓸데없는 자존심을 내세우지도 않았다. 산초는 꼬리를 깃대처럼 흔들며 도니 앞으로 가더니, 마치 악수를 청하듯이 점잖게 앞발을 내밀었다.

그 모양을 보고 비로소 마음이 풀린 도니가 산초의 머리를 쓰다듬으며 말했다.

"아주 영리하네. 마치 말이라도 할 것 같아."

"물론 말을 할 줄 알지. 안녕이라고 해 봐, 산초!"

도니가 산초를 칭찬하는 바람에, 벤도 절대로 친해지지 않겠다고 한 결심을 깨뜨리고 산초에게 인사를 하라고 명령했다.

산초는 '멍, 멍!' 하고 짖으면서 마치 사람이 인사하기 위해 모자를 벗는 것처럼 앞발을 머리 위에 얹었다.

도니는 그것을 보고 자기도 모르게 웃음을 터뜨렸다. 그러자 어색하던 분위기가 금세 부드러워졌다.

미스 실리아는 기쁜 듯이 도니의 의자를 탁자 앞으로 밀고 가서, 손님들에게 자리에 앉으라고 권했다.

뱁과 베티는 오랜 친구처럼 미스 실리아와 다정하게 이야기를 나누었다. 그러나 벤과 도니는 아직도 어색한 분위기가 말끔히 가시지 않은 모양이었다.

산초는 놀랄 만큼 점잔을 뺐다. 쿠션 위에 얌전하게 앉아 자기 몫으로 나온 샌드위치 접시조차도 거들떠보지 않았다. 그러다가 벤의 허락이 떨어지자마자 날쌔게 샌드위치를 삼켜 버렸다. 그렇게 맛있게 먹고 난 다음에는 깊은 생각에 잠긴 철학자처럼 점잔을 빼고 앉아 있었다.

그러나 일단 샌드위치 맛을 보고 나니 참기가 여간 힘들지 않은 모양이었다. 산초는 참으려고 안간힘을 쓰는 것 같았으나, 저도 모르게 코가 실룩거려지고 눈이 샌드위치 쪽으로 쏠렸다.

이윽고 더 이상 참을 수 없는 순간이 닥쳐왔다. 벤은 미스 실리아가 하는 이야기에 열심히 귀를 기울이고 있었다. 그래서 자기 몫으로 나온 파이에 손을 댈 사이가 없었다.

순간적으로 산초와 도니의 눈이 마주쳤다. 도니가 고개를 끄덕이자, 산초는 알았다는 듯이 눈짓을 하더니 눈 깜짝할 사이에 벤의 파이를 날름 집어삼켰다. 그리고는 다시 무슨 생각에 잠긴 것처럼 시치미를 뚝 떼고 하늘을 쳐다보았다.

도니는 산초가 하는 짓이 너무 우스워서 배를 잡고 웃었다. 도니가 별안간 웃음을 터뜨리는 바람에 모두 어리둥절해서 쳐다보았다. 그러나 정작 산초는 '무슨 일로 그렇게 웃는 거죠?' 하는 듯 능청스러운 표정을 지었다. 그 표정에 도니는 더욱 큰 소리로 웃었다.

도니가 이렇게 활짝 웃은 것은 참으로 오랜만의 일이었다. 그리고 그 웃음은 서먹서먹했던 분위기를 말끔하게 몰아내 버렸다.

그 덕분에 파티에 참석한 사람들 모두가 허물없이 이야기를 나눌 수 있는 사이가 되었다. 특히 도니는 벤이 하는 서커스단 이야기에 열심히 귀를 기울였다.

샌드위치를 담은 접시가 몇 차례나 비워졌고, 찻주전자도 두 차례나 새로 채워졌다. 정말 마음껏 먹고 마셨다.

가정부 린다가 식탁 위를 치우고 대신 장난감 통을 갖다 놓았다. 통 안에는 그림책을 비롯하여 인형, 장난감 등이 가득 들어 있었다.

그것을 보고 두 소녀는 환호성을 질렀고, 벤도 놀라서 눈이 휘둥그레졌다. 산초는 통 속에 앞발을 들이밀고 글자가 씌어진 빨갛고 파란 나무 조각을 입에 물었다.

"산초는 글자도 아는 모양이지?"

도니가 웃으며 말했다.

"물론 글자를 알지. 산초, 네 이름을 골라 봐!"

벤이 명령을 내리자, 산초는 여러 개의 글자판 중에서 몇 개를 골라 SANCHO(산초)라는 글자를 만들었다.

도니는 신기한 듯 손뼉을 쳤다.

"이거 굉장한데! 다른 것도 할 줄 아니?"

"물론이지. 산초는 재주를 부려서 나를 먹여 살렸어."

벤은 자랑스러운 듯 어깨를 으쓱거리며 산초에게 여러 가지 명령을 내렸다.

"정말 놀랍구나! 어쩌면 이렇게 훈련을 잘 시켰지?"

미스 실리아가 산초의 멋진 재주에 감탄하여 말했다.

"아빠가 훈련을 시키셨어요. 저도 아빠를 좀 거들었지요. 하지만 산초는 원래 영리한 개예요. 제가 어렸을 때 일이라 잘 기억이 나진 않지만, 개는 어둠 속에서 훈련을 시켜야 한대요."

벤이 산초의 털을 부드럽게 쓰다듬어 주며 말했다.

휘파람 소리

뱁과 베티가 미스 실리아가 갖다 놓은 장난감 통을 뒤지기 시작했다. 그것을 보고 벤도 표지에 아름다운 그림이 있는 그림책을 집어 들었다. 첫 장을 들추자, 싸움터에 쓰러져 있는 말의 그림이 있었다.

"너무 불쌍해!"

벤은 차마 보고 있을 수가 없어서 재빨리 책장을 넘겼다.

이번에는 물가에서 목을 축이고 있는 세 마리의 말이 그려져 있었다.

"아, 이런 말을 타고 넓은 들판을 마음껏 달려 봤으면……."

벤은 한숨을 쉬며 중얼거렸다.

그 소리를 듣고 미스 실리아가 말했다.

"벤, 말을 타고 싶은 생각이 나면 언제든 시바리타를 타도록 해라. 얼마 안 있어 도니가 쓰던 안장이 도착할 거야. 그럼 그걸 빌려 줄게."

"괜찮아요. 전 안장 같은 건 없어도 돼요. 참, 이게 말할 줄 아는 말이 있는 나라의 이야기를 쓴 책인가요?"

벤이 미스 실리아에게 물었다.

"아니, 그 책은 〈걸리버 여행기〉라고 따로 있어. 파티 준비하느라 정신이 없어서 그 책을 챙기는 걸 잊어버렸네. 오늘 밤에는 틀림없이 찾아 놓을게."

그 말을 듣는 순간 벤은 모리스 씨의 부탁을 생각해 냈다. 일을 끝내고 돌아올 때, 모리스 씨는 미스 실리아에게 전해 달라면서 편지 한 통을 주었던 것이다.

벤은 주머니에서 편지를 꺼내 미스 실리아에게 내밀었다.

"지주 어른이 이 편지를 전해 드리라고 하셨는데, 제가 그만 깜박 잊고 있었어요."

아이들이 각자 마음에 드는 장난감을 가지고 노는 사이에, 미스 실리아는 현관에 앉아서 조용히 편지를 읽었다.

그런데 어쩐 일인지 편지를 읽는 미스 실리아의 얼굴이 차츰 어두워지기 시작했다.

저녁놀이 지면서 라일락 향기가 한층 짙어지는 것 같았다. 어느덧 즐거운 파티를 마무리할 시간이 가까워 온 것이다.

그러나 아이들은 노는 데 열중하여 시간 가는 줄 몰랐다. 물론 편지를 읽고 난 미스 실리아가 슬픔에 찬 눈으로 벤의 옆모습을 바라보고 있는 것도 눈치채지 못했다.

벤은 그 어느 때보다도 만족스럽고 행복해 보였다. 앞으로는 사사건건 심술을 부리는 빨강머리 패트와 함께 일하지 않아도 되니 그럴 만도 했다. 게다가 다정한 미스 실리아의 일을 거들어 주며 시바리타까지도 언제든 마음대로 탈 수 있게 되었다. 벤으로서는 더 이상 바랄 것이 없었다.

잠시 후, 미스 실리아는 아이들에게 잠깐 기다리라고 한 다음 도니를 침실로 데려갔다.

"미스 실리아는 마치 옛날 이야기 속에 나오는 천사 같아. 신기한 것을 많이 갖고 있으니까 말이야."

미스 실리아의 인형을 가슴에 안으며 베티가 말했다.

그것은 눕히면 눈을 감는 인형이었다. 엄마놀이를 하면서 아기를 재울 때 인형이 눈을 동그랗게 뜨고 있으면 기분이 안 나는데, 그 인형은 잠을 재우는 데는 그만이었다.

"미스 실리아는 어쩌면 그렇게 아는 게 많은지 몰라. 선생님보다도 훨씬 많이 아는 것 같아. 그런데다가 아무리 물어 봐도 귀찮아하지 않으니까 정말 좋아."

공부벌레인 뱁이 말했다.

"난 도니가 마음에 들어. 그 애도 나를 좋아하거든……."

베티가 인형을 안은 채 말했다.

"미스 실리아는 우리가 매일 밤 도니하고 놀아도 좋다고 그러셨어."

"그리고 전처럼 현관에서 소꿉장난을 해도 좋대."

"무엇보다도 나는 앞으로 미스 실리아의 일을 거들게 된 게 기뻐. 지주 어른이 보낸 편지는 아마 나에 대한 추천장일 거야."

벤이 뱁과 베티에게 약간 으스대며 말했다.

"그래, 벤. 난 너만 믿는다."

어느 틈에 다가온 미스 실리아가 벤의 어깨를 살며시 짚으면서 말했다.

벤은 부끄럽기도 하고 기쁘기도 해서 얼굴을 붉혔다.

"아기가 깊이 잠든 것 같구나. 깨면 울 테니까, 가만히 안고 가서 재우도록 해라."

미스 실리아가 인형을 꼭 안고 있는 베티에게 정다운 작별 키스를 하며 말했다.

"벤, 너는 안 갈 거니?"

뱁이 미스 실리아에게 작별 인사를 하고 나서 벤에게 물었다.

그러자 벤 대신 실리아가 대답을 했다.

"벤은 나하고 얘기할 게 좀 있다. 그러니 너희들 먼저 가서, 어머니에

게 벤은 잠시 후에 갈 거라고 말씀드려."

뱁과 베티가 돌아가고 나자, 미스 실리아와 벤, 그리고 항상 주인에게 충실한 산초만이 현관에 남았다.

미스 실리아는 현관 앞 계단에 벤을 앉히고 그 옆에 다가앉아 편지를 꺼냈다. 그 순간, 미스 실리아의 얼굴에 잠깐 그늘이 지는 듯했다. 어두운 가운데 사방은 쥐죽은 듯 고요했다.

"벤, 네게 할 말이 있다."

미스 실리아는 천천히 입을 열었다.

벤은 미스 실리아를 쳐다보았다. 서커스단의 멜리아가 세상을 떠나고 나서 벤에게 이처럼 정답게 말을 걸어 준 사람은 없었다.

"모리스 씨가 네 아빠에 관한 소식을 전해 주셨어. 이게 바로 스미더스라는 사람이 보낸 편지야."

그 말에 벤의 얼굴이 금방 환해졌다.

"만세! 그게 정말이에요? 아빠는 어디 계시대요?"

그러나 미스 실리아의 표정은 어두웠다.

"네 아빠는 말을 사러 가셨는데, 말만 보내고 돌아오시지 않은 모양이야."

"그럼 훨씬 더 멀리 가신 모양이지요? 아마 캘리포니아에 가셨을 거예요. 그런 이야기를 들은 적이 있거든요. 거기서 자리를 잡으면 저를 데리러 오신다고 했어요. 거긴 몹시 더운 곳이라는데……."

"……."

"아빠는 캘리포니아 어디쯤 계시대요? 정말 좋은 곳이라고 들었어요."

"응……. 아빠는……. 캘리포니아보다 훨씬 더 좋은 곳에 가셨단다."

미스 실리아는 하나 둘 별이 반짝이기 시작한 밤하늘을 올려다보며 한숨을 쉬었다.

"아빠는 떠나실 때 아무 말씀 없으셨대요? 혹시 언제쯤 오신다든가……."

벤이 물었다.

그 얼굴에는 초조한 표정이 떠오르고, 목소리는 가늘게 떨렸다.

"벤, 만약 아빠가 영영 돌아오시지 않는다고 해도 살 수 있겠니?"

벤은 가슴이 덜컥 내려앉았다.

"아니, 그게 무슨 말씀이에요? 설마 아빠가 돌아가신 건 아니겠죠?"

불안에 찬 벤의 목소리를 듣는 미스 실리아의 가슴은 찢어지는 듯했다. 미스 실리아는 말없이 벤을 껴안았다.

"벤, 아니라고 대답할 수 있다면 얼마나 좋겠니?"

더 이상의 이야기는 필요 없었다. 마침내 벤은 자신의 처지를 분명하게 깨달았던 것이다. 함께 눈물을 흘려 주거나 정다운 위로의 말을 해 주는 것도 벤에게는 아무 소용이 없었다.

벤은 산초를 물끄러미 바라보다가, 털이 복슬복슬한 그 목을 와락 껴안으며 몸부림쳤다.

"산초, 아빠는 이제 안 돌아오신대. 아무리 기다려도……."

산초는 벤의 얼굴을 적시는 눈물을 핥으며 낑낑거렸다. 그리고는 도대체 어떻게 된 일이냐고 묻는 것처럼 미스 실리아를 쳐다보았다. 미스 실리아는 말없이 산초의 머리를 쓰다듬었다.

이윽고 울음을 그친 벤은 고개를 숙인 채 애써 태연하게 말했다.

"어떻게 된 일인지 얘기해 주세요. 저는 아무래도 괜찮아요."

미스 실리아는 편지를 읽어 주었다.

스미더스 단장의 편지에는, 벤의 아빠가 서부 황무지에서 재난을 당해 죽었다고 되어 있었다. 그러나 그 역시 자세한 것은 모르는 모양이었다. 길을 가던 나그네가 수첩 속에서 스미더스 단장의 주소를 발견하여 알려 주었다는 것이다. 스미더스 단장은 몇 달 전에 그런 사실을 알게 되었지만, 벤이 충격을 받을 것 같아 얘기하지 않았다고 했다.

그러면서 스미더스 단장은, 벤의 아빠가 살아 있을 때 원하던 일이니 벤을 데려다 훌륭한 곡예사로 만들고 싶다고 했다.

편지를 다 읽고 나서, 미스 실리아가 물었다.

"벤, 너 스미더스 단장에게 돌아가고 싶니?"

벤은 당치도 않다는 듯 고개를 저었다.

"그건 죽어도 싫어요. 그럴 생각이었으면 처음부터 달아나지도 않았을 거예요. 단장은 아주 나쁜 사람이에요. 저는 갈 곳이 없어요. 제발 그냥 여기서 일하게 해 주세요."

벤은 사정하듯이 말했다.

"물론 네가 원하는 대로 해야지. 이제부터 너는 우리와 한가족이야. 여기는 네 집이고, 도니는 네 형이야. 우리도 너와 마찬가지로 부모님이 안 계셔. 언젠가 믿음직스러운 분이 나서서 도와주실 때까지 서로 힘을 합쳐 살자, 응?"

미스 실리아의 따뜻한 말에 벤은 많은 위로를 받았다.

벤의 슬픔도 어느 땐가는 가시게 될 것이다. 벤은 이렇게 친절한 미스 실리아를 위해서라면 무슨 일이든 하겠다고 마음먹었다. 산초도 '우리 주인을 위로해 주세요' 라고 말하듯이 미스 실리아의 무릎을 앞발로 짚었다.

"영리한 것!"

미스 실리아는 산초의 앞발을 꼭 잡아 주었다. 그리고 끊임없이 흘러내리는 벤의 눈물을 닦아 주려고 애썼다.

"아마 제 마음 모르실 거예요. 아, 아빠! 한 번만 만날 수 있다면……."

벤은 다시 소리를 내어 엉엉 울었다.

그러나 벤의 소망은 더할 수 없이 친절하고 아름다운 마음씨를 가진 미스 실리아로서도 도저히 들어주기 어려운 것이었다.

아빠는 이제 다시는 돌아올 수 없게 된 것이다. 벤은 산초를 안고 눈물을 흘렸다. 그 슬픈 마음을 위로하듯 산초는 벤의 얼굴을 핥아 주었다.

잠시 후, 미스 실리아가 피아노를 치기 시작했다. 그 조용하고 아름다운 멜로디는 벤의 슬픈 마음을 부드럽게 위로해 주었다.

이윽고 벤은 울음을 그쳤다. 벤은 언젠가 반드시 캘리포니아보다도 훨씬 더 아름답다는 그 머나먼 나라로 아빠를 찾아가리라 마음먹었다.

미스 실리아는 시간이 얼마나 흘렀는지도 모른 채 피아노를 쳤다. 그러다가 문득 생각이 나서, 살며시 일어나 벤이 있는 곳을 살폈다.

미스 실리아보다 훨씬 더 따뜻하게 불행한 소년 벤을 위로하고 돌봐 주는 다정한 친구가 있었다. 다름 아닌 산초였다.

라일락 숲 사이로 가벼운 바람이 스쳐 지나갔다. 울다 지쳐서 잠든 벤의 얼굴을 나뭇가지 사이로 비쳐든 희미한 달빛이 어루만져 주는 듯했다.

벤은 팔베개를 한 채 깊은 잠에 빠져 있었다. 어쩌면 아빠를 만나는 즐거운 꿈이라도 꾸고 있는지 모른다. 산초는 충실하게 그 곁을 지키고 있었다.

다음 날 아침, 벤은 모스 부인이 이마에 입을 맞추어 주는 바람에 잠을 깼다. 아버지를 잃은 벤에게 모스 부인은 마치 친어머니와 같은 다정함을 보였다.

눈을 뜨니, 잠든 사이에 잊고 있던 슬픔이 되살아났다. 벤의 눈에는 자기도 모르게 이슬 같은 눈물이 맺혔다. 하지만 벤은 이제 더 이상 소리를 내어 울지 않았다.

모스 부인이 방에서 나간 다음, 벤은 아빠의 일로 슬픈 마음을 산초에게 모두 털어놓았다.

산초는 마치 알아듣기라도 하는 것처럼 벤의 이야기에 열심히 귀를 기울였다. 그러다가 '아빠' 라는 말이 나오면 나지막하게 으르렁거렸다. '아빠를 잃은 주인님의 슬픔을 제가 잘 알아요.' 하는 듯이.

사실 벤의 아빠가 얼마나 훌륭한 사람이었는지 알고 있는 것은 오직 그들뿐이었다.

"산초, 우리는 아빠를 위해 상장(부모 등 가까운 사람이 세상을 떠났을 때 다는 검은색 리본)을 달아야 해."

벤이 산초에게 말했다.

멜리아가 세상을 떠났을 때, 서커스 단원들 모두 모자나 팔, 옷깃 같은 데 검은색 리본을 달았던 일이 생각났던 것이다.

벤은 어제 미스 실리아가 사 준 새 모자에 검은 끈을 둘렀다. 그리고 산초의 목에도 낡은 바지 주머니의 검은 천을 잘라서 감아 주었다. 자기 목에 감긴 검은 천이 뜻하는 바를 잘 안다는 듯, 산초도 얌전하게 어린 주인의 뒤를 따랐다.

벤과 산초의 모습을 본 모스 부인은 눈물을 글썽이며 입술을 지그시 깨물었다.

뱁과 베티도 이미 벤의 불행한 소식에 대해 알고 있는 듯 동정과 사랑이 담긴 눈으로 벤을 바라보았다. 벤은 모스 부인에게도, 뱁과 베티에게도 무한한 고마움을 느꼈다.

벤은 세수를 하고 나서 미스 실리아의 집으로 갔다.

미스 실리아가 모리스 씨에게 미리 이야기를 해 두었기 때문에, 벤은 그 날부터 라일락 저택에서 일을 할 수 있게 되었다.

"벤, 오늘 교회까지 마차를 몰아 주겠니? 날이 더울 것 같아서 도니는 못 데리고 가겠어."

미스 실리아가 말했다.

그 날은 마침 일요일이었던 것이다.

"네, 그런데 이런 차림으로 가도 괜찮을까요?"

벤은 교회에 갈 때는 멋지게 차려 입어야 하는 게 아닌가 해서 물었다.

"상관 없어. 하느님은 우리가 어떤 옷을 입고 있든 개의치 않으시니까. 정 그렇게 마음이 쓰이면 내가 조금 손질을 해 주마. 그런데 너 교회에 가 본 적 있니?"

미스 실리아가 물었다.

"아뇨, 한번도 가 보지 못했어요. 아빠는 언제나 힘들게 일하셨기 때문에 일요일에는 보통 휴식을 취하셨거든요. 이따금 숲으로 산책을 데리고 나가신 적은 있지만……."

벤의 목소리가 약간 떨렸다.

벤은 미스 실리아에게 약한 마음을 들키고 싶지 않았으므로, 모자를 푹 눌러썼다. 벤의 가슴은 결코 다시는 돌아오지 않을 옛날 생각으로 말할 수 없이 아팠던 것이다.

"나도 숲으로 산책 나가는 것을 즐긴단다. 숲은 정말 좋은 곳이야. 우리 오후에 같이 나가 보자. 하지만 지금은 교회에 가자. 일요일에 교회에 다녀오면 일주일을 편안한 마음으로 살 수가 있거든. 슬플 때 교회에 가면 마음이 한결 풀린단다. 너도 함께 가 보면 알게 될 거야."

"네, 그렇게 하겠어요. 원하시는 일이라면 뭐든지 따를게요."

벤은 고개를 푹 숙인 채 작은 소리로 대답했다.

벤은 우는 것을 싫어했다. 그러나 울음을 참는다는 것은 참으로 힘든 일이었다.

벤의 마음을 들여다보기라도 한 듯 미스 실리아가 갑자기 밝은 목소리로 말했다.

"어머, 벤, 저기 좀 봐! 어쩌면 저렇게 아름다울까! 어렸을 때는 거미가 요정의 옷을 짜서 풀 위에 펼쳐 놓는 줄 알았단다."

그 말에 벤은 울음을 참기 위해 구두 끝으로 흙을 차다 말고 고개를 들었다. 문 위 한쪽 구석에 아름다운 무늬의 거미집이 걸려 있었다. 거미줄에는 맑은 이슬이 맺힌 채 아침 햇살에 반짝이고 있었는데, 가벼운 바람에도 흔들리며 그 빛을 사방으로 뿌리고 있었다.

"참 아름답네요! 그런데 거미는 참을성이 많은 모양이에요. 매일 구멍이 나도 저렇게 새로 집을 지어 놓으니 말이에요."

벤도 슬픈 생각에서 벗어나려는 듯 쾌활하게 말했다.

"집을 짓는 게 바로 거미가 할 일이거든. 저 거미줄에 벌레들이 수도 없이 걸려들겠지."

"저는 저기 거미줄을 치고 있는 거미를 알고 있어요. 두 마리가 있는데, 한 놈은 갈색이고 다른 놈은 노란색이에요. 건드리면 깜짝 놀라 어디론가 숨었다가, 다시 살그머니 나타나지요. 그런데 거미는 아마 저를 미워하고 있을 거예요. 언젠가 거미줄에 걸린 나비를 놓아 준 적이 있거든요."

벤이 거미에 대해 흥미를 가지고 있는 것을 알고 미스 실리아가 물었다.

"벤, 너 '브루스와 거미' 라는 얘기 아니?"

그것은 거미의 끈기와 용기에 대한 이야기인데, 그 내용은 다음과 같다.

스코틀랜드의 왕 로버트 브루스가 한때 전쟁에 져서 도망치다가 한 헛간에 숨어 있었다. 절망감에 빠져 힘을 잃고 있던 그는 한쪽 구석에서 끈질기게 거미줄을 치고 있는 거미를 보고 용기를 되찾게 되었고, 마침내 싸움에서 이겼다.

학교에도 다닌 적이 없고, 또 책을 읽은 일도 없는 벤이 그 이야기를 알 리가 없었다.

"모르겠어요. 저는 다른 아이들이 다 알고 있는 이야기라도 모르는 것이 많거든요."

벤은 솔직하게 말했다.

뱁과 베티를 만나 함께 놀면서 벤은 자기가 얼마나 모르는 것이 많은지 새삼스럽게 깨달았던 것이다.

"하지만 벤, 넌 다른 아이들이 모르는 걸 많이 알고 있잖아. 너 정도로 말을 잘 탈 수 있고, 또 뛰어다닐 수만 있다면 좋겠다고 생각하는 아이들도 많단다. 너보다 나이가 더 많은 아이들도 혼자 힘으로 자기 일을 잘 처리하지 못하는 경우가 있는데, 넌 그렇지 않잖아. 그동안 네가 겪었던 모든 힘든 일들이 너를 단련시켜 강하게 만들어 준 거야. 물론 그런 생활이 반드시 좋다고만 할 수는 없는데, 너는 이제 그것을 깨닫게 된 거야. 너도 다른 아이들처럼 학교나 교회에 다니고 싶지 않니?"

미스 실리아가 물었다.

벤은 미스 실리아의 얼굴을 쳐다보았다. 한 마디 한 마디 모두 옳은 말이었다.

"네, 저도 그렇게 하고 싶어요. 여기 와서 한 가지 깨달은 게 있어요. 아이들은 서커스를 무척 좋아하지만, 그건 구경하는 일에 한해서일 뿐 훌륭한 사람들이 하는 일이라고는 생각하지 않는다는 것을 말이에요. 아빠도 제가 공부를 열심히 한다면 기뻐하실 거예요."

"그래, 잘 생각했다. 우리 한번 같이 노력해 보자. 자기 하고 싶은 대로 하며 살다가 갑자기 착실한 생활을 하려고 하면 따분하고 갑갑할지도 몰라. 하지만 마음 내키는 대로 사는 생활은 네 앞날에 별로 도움이 안 돼. 어려운 일이 있으면 망설이지 말고 내게 의논해. 도니와 마찬가지로……. 그리고 용기를 내어 열심히 일하는 거야. 나도 이제 동생이 둘로 늘었으니, 어떻게 하면 너희들을 제대로 도울 수 있을지 그 방법을 연구해 볼게."

그 때, 도니가 2층 창문으로 빗질하지 않은 머리를 내밀고 소리쳤다.

"누나, 구두끈이 어디 갔지? 넥타이도 잘 맬 수가 없어!"

"구두끈은 내 장롱 위에 있다. 그리고 누나가 매줄 테니까, 검정 넥타이를 가지고 내려와."

도니는 뭐라고 혼잣말을 하며 방 안으로 사라졌다.

미스 실리아는 벤을 돌아보며 웃었다.

"도니는 몸이 아픈 이후로 도로 어려진 것 같아. 혹시 네게 까다롭게 굴더라도 좀 참아 줘. 병이 나으면 괜찮아질 테고, 그러면 두 사람은 좋은 친구가 될 수 있을 거야."

도니와 친하게 지낼 수 있을지 자신은 없었다. 그러나 벤은 미스 실리아를 위해서라면 될 수 있는 한 자기가 양보하고 참아 보리라 결심했다.

그로부터 한 시간쯤 지났을 때, 벤은 마차를 뒷문 앞에 끌어 내고 미스 실리아가 나오기를 기다렸다.

이윽고 미스 실리아가 나왔을 때, 벤은 감탄하여 입을 쩍 벌렸다. 그렇게 아름다운 사람은 처음 보는 것 같았다. 미스 실리아는 어깨에 새하얀 숄을 두르고, 머리에는 역시 새하얀 보닛을 썼다. 그리고 손에는 초롱꽃 한 송이와 책을 들고 있었다. 손에 낀 진주빛 장갑은 너무 고와서, 마차를 탈 때 때가 묻으면 어쩌나 걱정이 될 정도였다.

벤의 쓸쓸하던 마음은 미스 실리아 옆에 앉아서 초록빛 들판을 달리는 사이에 차츰 즐거워졌다.

벤은 이따금 미스 실리아를 곁눈질했다.

그것을 눈치챈 미스 실리아가 물었다.

"왜, 무슨 할 말이라도 있니?"

"아니, 그냥……. 미스 실리아가 마치……."

"내가 뭐? 괜찮으니 어서 말해 봐."

"마치 기도를 하시는 것 같아서요."

그러자 미스 실리아는 고개를 끄덕였다.

"그래, 잘 봤구나. 기도를 드리면 마음이 편안해지거든. 너도 기도를 드려 본 적이 있니?"
"아뇨, 제가 기도해 본 적은 없고, 어릴 때 할머니가 기도하시는 것을 봤어요."
"그래? 그럼 내가 기도하는 걸 가르쳐 줄게. 기도하면 답답하던 마음이 후련해진단다."
"서커스단 사람들은 믿음이 별로 깊지 않아요. 아마 너무 바빠서 그럴 거예요."
"벤, 넌 믿음이 깊다는 게 어떤 건지 아니?"
"교회에 열심히 나가고, 틈만 나면 성경을 읽고, 즐거운 일이나 괴로운 일이 있을 때 기도하고 찬송하고……."
"물론 그런 것도 중요하지만, 친절하고 명랑하며, 부지런히 일하고 남을 도와주는 것, 또 하느님을 공경하는 사람이 가장 믿음이 깊은 사람이란다."
"그렇다면 미스 실리아는 정말 믿음이 깊으시겠군요?"
"글쎄……. 나도 그렇게 되기를 바라지만, 마음 먹은 대로 안 돼. 일요일마다 결심을 새롭게 하고, 한 주일 동안 그런 마음으로 지내려고 애쓰지. 너도 그렇게 해 보지 않겠니?"
"교회에 가서 앞으로는 다른 사람을 욕하지 않겠다는 맹세를 하면, 다시 욕이 나오지 않을까요?"
"그게 그렇게 쉽게 고쳐지진 않을 거야. 하지만 맹세를 되풀이하고, 또 끊임없이 노력하면 나쁜 버릇도 반드시 고칠 수 있을 거야."
"솔직히 말하면, 여기 오기 전에는 욕을 잘 했어요. 그랬는데 언젠가 '제기랄!' 이라고 했더니 뱁과 베티는 깜짝 놀라서 눈이 휘둥그레지고, 아주머니는 그런 소리 하면 못쓴다고 야단을 치셨어요. 그 후 다시는 그런 말을 쓰지 않겠다고 결심했지요. 하지만 요즘도 속이 상하면 저도 모르게 그런 상스러운 욕이 튀어나오곤 해요."

"도니도 전에는 '빌어먹을!' 이라는 말을 곧잘 했단다. 어떻게 그 버릇을 고쳐 줄까 생각하다가, 그런 말을 하고 싶을 때는 휘파람을 불라고 했지. 도니는 지금도 이따금 깜짝 놀랄 만큼 날카로운 소리로 휘파람을 불곤 하지. 너도 한번 그렇게 해 봐."

벤은 욕을 하고 싶을 때마다 휘파람을 부는 도니를 상상하며 웃었다. 그리고 자기도 미스 실리아의 말대로 해 보리라 마음 먹었다.

서커스단 사람은 거의 욕을 입에 달고 살았다. 그들 틈에서 자라다 보니, 벤은 자기도 모르는 결에 입버릇처럼 욕을 하게 되었던 것이다.

'도니가 깜짝 놀랄 정도로 크게 휘파람을 불 수 있으면 가슴이 후련할 거야.'

사실 벤은 하루에도 열 번은 '제기랄!' 하는 정도의 욕을 마음속으로 중얼거리곤 했다.

이야기를 하다 보니, 마차는 어느 새 교회에 도착했다. 종소리와 함께 사람들이 하나 둘 교회로 모여들고 있었다.

서커스단의 천막을 드나들 때와 마찬가지로 벤은 모자를 쓴 채 교회에 들어가려고 했다. 그러자 미스 실리아의 부드러운 손이 벤의 모자를 슬쩍 벗겨 주었다.

안으로 들어가 의자에 앉아 있으려니까, 모리스 씨와 그의 부인이 들어왔다.

"잘 왔다, 벤."

모리스 씨는 벤을 향해 다정하게 고개를 끄덕여 보였다.

"예배를 보는 동안 얌전하게 앉아 있을까요?"

모리스 씨의 부인이 미스 실리아의 귀에 대고 소곤거렸다.

"예배에 방해가 되지 않도록 잘 일러 둘 테니 걱정 마세요."

이렇게 말한 다음, 미스 실리아는 벤의 발 밑에 발판을 갖다 놓아 주었다.

벤은 한참 동안 꼼짝 못하고 앉아 있어야 할 것을 생각하니, 벌써부터 갑갑해지는 것 같았다. 그러나 미스 실리아를 위해서라도 참아야겠다고 결심했다.

벤은 허리를 꼿꼿이 편 채 동상처럼 꼼짝도 하지 않고 앉아 있었다. 그러나 눈동자만은 부지런히 이쪽저쪽으로 굴렸다.

뱁과 베티의 모습이 눈에 들어오자, 벤은 눈을 깜박거리면서 신호를 보냈다. 두 소녀는 멀리 떨어진 자리에 파란 리본이 달린 모자를 똑같이 쓰고 앉아 있었다.

10분이 흘렀다. 벤은 더 이상 참을 수 없을 것 같았다. 그런데 마침 풍금 소리가 울리고 찬송가가 시작되었으므로, 벤은 가까스로 한숨을 돌렸다.

찬송가가 끝나자, 길고 지루한 설교가 시작되었다.

모리스 씨의 부인은 이따금 벤을 날카롭게 쏘아보면서 부채질을 해 주었다. 하지만 벤은 그것이 더욱 참기 힘들었다. 부채질을 할 때마다 정성들여 빗어 넘긴 머리카락이 헝클어졌기 때문이다.

벤은 너무 답답해서 몸을 뒤틀며 한숨을 길게 내쉬었다. 미스 실리아도 벤의 마음을 알아챘다. 그녀도 아이들이 설교를 열심히 듣기가 힘들다는 사실을 잘 알고 있었다. 그래서 미리 준비해 온 것을 꺼냈다.

"자, 지루하면 이거나 읽어 보렴."

미스 실리아가 준 것은 《성경 이야기》라는 책이었다. 솔직히 재미있을 것 같진 않았으나, 벤은 얼른 받아서 펼쳐 보았다. 한 소년이 사람들 앞에서 거인의 목을 자르고 있는 그림이 보였다. 그 아래쪽에 '다윗과 골리앗' 이라고 씌어 있었다.

벤은 어느새 책에 폭 빠졌다. 모리스 씨 부인이 부채질을 하는 것도 느끼지 못할 정도였다.

책을 다 읽고 나자, 설교도 끝이 났다.

그 뒤를 이은 기도는 미스 실리아가 말했듯이 벤의 마음을 어루만져 주는 것 같았다. 벤은 저도 모르게 그 기도의 말씀을 외워 보려고 입 속으로 중얼거려 보았다. 그 모습을 보고, 모리스 씨의 부인이 기특하다는 듯 고개를 끄덕였다.

이윽고 예배가 끝나 교회를 빠져 나올 때, 미스 실리아가 벤의 귀에 대고 속삭였다.

"교회가 마음에 들었니, 벤?"

"네, 괜찮은 곳인 것 같아요."

벤이 웃으며 대답했다. 그것은 벤의 진심이었다.

"설교는 어땠니?"

그 물음에 벤은 미소를 지었다. 그리고 자기가 미스 실리아에게 도로 준 책을 보며 대답했다.

"글쎄요, 설교가 어땠는지는 잘 모르겠어요. 하지만 그 책은 정말 재미있었어요."

"책이 재미있었다니 다행이다. 그 책은 도니도 좋아하던 책이야. 언제나 교회에 와서 설교 시간에 읽었기 때문에, 교회용 책이라고 하지. 처음이니까 설교를 잘 알아들을 수 없겠지만, 이런 책들을 읽고 들으면 차츰 이해할 수 있을 거야."

"다윗은 정말 대단한 사람인 것 같아요. 마음에 들어요. 이런 책을 더 많이 읽어 보았으면 좋겠어요."

벤의 이야기를 들으며 미스 실리아는 자기도 모르게 웃음이 나왔다. 벤이 교회를 좋아하게 된 것 같아 다행이라는 생각이 들었다.

"오전엔 내가 하자는 대로 했으니까, 오후에는 너 하고 싶은 일을 해라. 그리고 4시쯤에는 도니를 데리고 숲에 가려고 하는데, 너도 함께 가지 않겠니? 숲 속의 소나무 냄새가 도니 몸에 좋다는구나. 숲에 가서 해먹을 매달고, 얘기도 하고 책도 읽고 하자꾸나."

"산초를 데려가도 될까요? 아침에 교회에 따라올까 봐 가둬 두었는데, 아마 지금쯤 몹시 화가 나 있을 거예요."

"네 마음대로 해. 산초도 일요일은 즐겨야 하지 않겠니?"

벤은 발걸음도 가볍게 점심을 먹으러 갔다.

그러나 점심 식사를 하고 나자 할 일이 없었다. 4시가 되려면 시간이 많이 남아 있었다. 모스 부인은 낮잠을 즐기고, 뱁과 베티는 의자에 앉아서 독서를 하고 있었다. 닭들마저 그늘에 앉아 꼬박꼬박 졸고 있었다.

한가한 시간을 갖게 되니, 잊고 있던 슬픔이 되살아났다. 벤은 자기 방으로 가서, 미스 실리아가 준 편지를 꺼내어 다시 읽어 보았다.

그런데 이상하게 처음만큼 슬프게 느껴지지 않았다. 아빠가 이 세상 사람이 아니라는 사실이 도저히 믿어지질 않았다.

벤은 편지를 도로 집어 넣으며 생각했다.

'아빠는 돌아가시지 않았어. 나만 남겨 두고 돌아가실 리가 없어. 아빠가 찾아오실 때까지 기운 잃지 않고 씩씩하게 살아야지.'

벤은 산초의 목에 매어 두었던 상장도 떼어 버렸다. 슬퍼한다고 달라질 것이 없을 바에야 밝게 살기로 결심했다.

그런 생각을 하자, 벤의 얼굴은 다시 환해졌다.

한편, 미스 실리아는 갑자기 모리스 씨가 찾아오는 바람에 벤과의 약속을 지킬 수 없게 되었다. 그래서 동생 도니를 불러 말했다.

"누나는 지주 어른과 얘기할 게 있어서 숲에 함께 갈 수가 없구나. 그러니 벤과 둘이 가거라. 오늘은 벤에게 다른 날보다 친절하게 대해 주어야 한다.”

그 말에 도니는 얼굴을 찡그렸다.

“그런 망아지 같은 애하고는 놀기 싫은데……. 좀 가엾기는 하지만 말이야.”

“그러지 마라. 너는 마음만 먹으면 누구에게나 친절하게 대할 수 있잖아. 벤은 아빠 일 때문에 지금 풀이 죽어 있어. 네가 조금만 잘 대해 주면, 그 애는 무척 고맙게 생각할 거야. 그 애는 지금 아무도 돌봐 주는 사람이 없어. 다른 어느 때보다도 친절하고 따뜻한 마음이 도움이 될 거야.”

“그렇다면 같이 가지, 뭐. 그런데 그 애는 어디 있어?”

도니는 누나의 간곡한 말에 마음이 풀려 자리에서 일어났다.

“아마 휠 체어 옆에서 기다리고 있을걸. 란다를 보내서 미리 해먹을 쳐 두라고 할게.”

도니는 비틀거리는 걸음으로 휠 체어 있는 데까지 걸어가서, 산초와 함께 기다리고 있는 벤을 보자 명랑하게 말했다.

“벤, 나는 길을 잘 모르는데, 네가 안내를 해 줄래?”

벤은 말없이 도니에게 휠 체어를 내밀었다.

긴 산책길을 지나자, 소나무가 서 있는 작은 숲이 나왔다. 시원한 바람이 나뭇가지를 스치며 지나갔다. 저 멀리 골짜기와 농가가 내려다보이고, 풀이 파랗게 난 목장 한가운데를 가로질러 흐르는 강물은 마치 은색의 띠처럼 아름다웠다.

가정부 란다는 높은 나뭇가지에 해먹을 걸려다가 잘 안 되자 한숨을 쉬었다.

그 모습을 곁눈으로 보며 도니가 말했다.

“아주 멋진 곳인데…….”

벤은 재빨리 나무 위로 올라가 든든한 가지에 해먹을 걸었다. 몸놀림이 꼭 다람쥐 같았다.

"자, 이제 책과 쿠션을 갖다 줘요."

도니는 란다에게 부탁하고, 벤을 돌아보았다.

"벤, 너는 찬송가나 외워라. 나도 어릴 때는 곧잘 찬송가 가사를 외우곤 했거든."

'어릴 때'라는 말에 기분이 상한 벤은 크게 휘파람을 불었다.

"아니, 무슨 휘파람을 그렇게 크게 불지? 그건 실례야."

도니가 놀라서 물었다.

"미스 실리아가 화가 나면 '제기랄!'이나 '빌어먹을!' 같은 욕을 하는 대신 휘파람을 불라고 했거든."

"넌 누나 말이라면 뭐든지 듣는 모양이지? 누나를 기쁘게 해 주고 싶으면 찬송가를 외워. 누나는 찬송가를 참 좋아하거든. 그리고 누나는 내게 너한테 잘해 주라고 했는데, 네가 그런 식으로 나오면 나도 짜증이 날 거야."

도니의 말투는 매우 부드러웠다.

벤도 마음이 풀려 기분 좋게 대답했다.

"네가 잘난 척하지만 않는다면 나도 공연히 화를 내지는 않아. 미스 실리아 외에는 아무도 내게 함부로 못해. 미스 실리아가 좋아한다면, 물론 찬송가를 외워야지."

도니는 벤에게 찬송가 책을 건네주었다.

"맨 마지막 장을 보면, 종이가 한 장 붙어 있을 거야. 거기 누나가 어릴 때 쓴 시가 있어. 정말 감동적인 시지. 누나 앞에서 그 시를 외운다면 아마 깜짝 놀랄 거야."

벤은 미스 실리아가 놀랄 거라는 말에 얼른 마지막 장을 펴 보았다.

과연 얌전한 글씨로 다음과 같은 시 한 편이 적혀 있었다.

나의 왕국

내 마음속에는
작은 나라 하나가 있지.
그 나라를 제대로 다스리기가
정말 너무 어려워.

어떻게 해야
나의 이 흔들리는 마음을 바로잡고
약한 마음을 강하게 하고
항상 밝고 아름다운 노래를 부를 수 있을까.

주여, 부디 제 약한 마음을 붙잡아 주세요.
두려움을 다 떨쳐 버리고
아무리 큰 슬픔이라도
이겨 나갈 수 있게 보살펴 주세요.

주여, 자비로운 그 손길로
제 마음을 어루만져 주세요.
행복한 나라를 마음속에 세우고
그것을 잘 다스릴 수 있도록…….

"와, 정말 멋지다! 어쩌면 이렇게 자기 마음을 잘 나타냈을까? 나는 미스 실리아가 이 시를 통해 하고 싶어하는 말을 알 수 있을 것 같아."

벤이 감탄한 듯 말했다.

"누나는 뭐든 잘 하지."

누나를 칭찬하는 말에 기분이 좋아서 도니는 벤에게 더욱 친절하게 대해야겠다고 생각했다.

"실은 나도 시를 쓴 게 있어. 뱁과 베티는 잘 썼다고 칭찬했지만……."

벤이 쑥스러운 표정으로 말했다.

"그래? 그렇다면 한번 외워 봐. 내가 들어 줄 테니까."

도니가 말했다.

잠시 망설이던 벤은 이윽고 자기가 쓴 시를 나지막한 소리로 외웠다.

시바리타는
훌륭한 말이다.
나는 형제처럼 사랑하지.
시바리타는
물지도 않고 차지도 않는다.
등에 올라타고 달리면
신이 나지.

"야, 잘 썼는걸! 너도 누나처럼 훌륭한 시인이구나. 그 시를 누나 앞에서 외워 봐. 누나는 시바리타를 칭찬하는 소리를 듣기 좋아하니까."

도니가 칭찬했다.

벤은 뭐라고 말할 수 없이 기분이 좋았다. 그래서 도니가 짚고 다닐 수 있도록 지팡이를 만들어 주기도 하고, 서커스단에서 있었던 재미있는 이야기도 해 주며 즐거운 시간을 가졌다. 그러면서도 벤은 틈틈이 미스 실비아가 쓴 시를 마음속으로 외웠다.

한편, 미스 실리아는 모리스 씨와 의논한 끝에, 벤을 맡아 줄 사람이 생겼으며, 또 벤 자신도 서커스단에 가기를 원하지 않는다는 내용의 편지를 스미더스 단장에게 내기로 결정했다.

미스 실리아는 모리스 씨와 이야기를 하면서도 숲으로 산책 나간 도니와 벤의 일이 마음에 걸렸다.

'혹시 서로 다투지는 않을까? 아예 토라져서 영영 안 보겠다고 하면 어떡하나?'

모리스 씨가 돌아간 지 얼마 안 되어 아이들이 숲에서 돌아왔다. 그런데 벤이 미는 휠 체어 위에는 엉뚱하게도 산초가 앉아 있고, 도니는 지팡이를 짚고 천천히 걸어왔다. 그들의 얼굴은 무척 밝아 보였다. 미스 실리아는 비로소 안도의 한숨을 쉬었다.

"누나, 우리 정말 재미있게 놀았어. 이건 벤이 만들어 준 지팡이야. 벤은 정말 좋은 애야."

도니는 누나가 무슨 걱정을 하고 있었는지 안다는 투로 말했다.

미스 실리아 앞에 선 벤은 그녀가 쓴 '나의 왕국'이라는 시를 한 줄도 빠뜨리지 않고 줄줄 외워 보였다.

그 순간, 미스 실리아는 깜짝 놀란 듯 눈을 크게 떴다. 그리고 그 얼굴은 곧 기쁨으로 환해졌다. 그녀가 기뻐하는 듯하자 벤도 기뻤다.

서커스 구경

아빠가 돌아가셨다는 소식이 전해진 다음부터는 모든 사람들이 한층 더 친절하게 대해 주었으므로, 벤은 행복한 나날을 보냈다.

모스 부인은 벤을 마치 친아들처럼 다정하게 보살펴 주었고, 뱁과 베티도 벤을 위해서라면 어떤 일이든 마다하지 않았다.

마침 여름 방학이 시작될 무렵이었으므로, 미스 실리아는 새 학기부터 벤을 학교에 보내기로 작정하였다.

미스 실리아는 벤에게 방을 하나 내주었다. 벤은 즉시 신문 잡지 따위에서 모은 동물 그림을 방 안 가득 붙였다. 벤으로서는 자기 방을 따로 가진다는 것은 꿈 같은 일이었다. 그런데 그 꿈이 현실로 이루어진 것이다. 자기 방이 있다는 것은 조용히 생각에 잠기거나, 아무에게도 방해받지 않고 책을 읽는 데 더할 나위 없이 좋았다.

도니는 벤이 공부하는 데 큰 도움을 주었다.

도니는 병이 나기 전에는 다른 나라로 여행도 자주 다니고, 좋은 환경에서 공부도 열심히 했다. 따라서 지금은 비록 몸이 약해 자유롭게 걷지는 못하지만, 벤과는 비교도 안 될 정도로 아는 것이 많았다.

벤은 이따금 도니가 아는 게 많다고 으스댈 때는 기분이 좋지 않았다. 그러나 오히려 그것이 자극이 되어 더욱 열심히 공부하였다.

반면, 도니는 벤의 건강한 몸이 부러웠다. 벤은 가난하게 자란데다 배운 것도 별로 없지만, 독립심이 강하고 씩씩했다.

두 소년은 처음엔 서로 좀처럼 어울리지 못했다. 다른 소년들도 마찬가지겠지만, 도니와 벤은 누구보다도 자존심이 강하고 또 상대에게 지지 않으려는 경쟁심이 있었기 때문이다.

하지만 다행스럽게도 두 소년에게는 한 가지 공통점이 있었다. 즉, 둘 다 미스 실리아를 누나로서, 또 주인으로서 존경한다는 점이었다. 미스 실리아 역시 두 소년이 사이 좋게 지내도록 세심하게 마음을 썼다.

미스 실리아는 도니의 자존심을 세워 주는 방법으로, 학교에 가기 전

에 필요한 것들을 벤에게 가르쳐 주라고 권했다. 도니는 그것이 다소 버릇없는 서커스단 출신 소년을 꼼짝 못하게 할 수 있는 유일한 방법이라고 생각했기 때문에, 누나의 권유를 기꺼이 받아들였다. 미스 실리아의 속셈은, 그러면서 도니가 자기도 모르게 독립심이 강하고 활기에 넘치는 벤의 생활 태도를 배우는 것이었다.

미스 실리아는 두 소년이 하루를 잘 보낼 수 있도록 계획을 세워 주었다. 도니와 벤은 각자 잘 하는 것을 서로에게 가르쳐 주는 것으로 자존심을 세울 수 있었기 때문에 만족스러워했다.

벤은 공부 시간에는 도니 앞에서 꼼짝을 못했다. 그러나 숲 속에 가서 나무와 나무 사이에 해먹을 걸거나 그네를 타는 일, 또 마차로 읍내에 심부름을 다녀오거나 시바리타와 당나귀 재크를 돌보는 일, 그리고 뱁과 베티에게 오빠 노릇을 하는 것은 도니보다 훨씬 나았다.

마침내 여름 방학이 시작되었다.

뱁과 베티는 공부로부터 해방되어 노는 데만 정신이 팔려 있었다. 벤은 가끔 두 소녀와 함께 도니의 휠 체어를 밀고 강가에 가서 뱃놀이를 했다. 또 마차를 들판으로 몰고 나가기도 하고, 비가 오는 날이면 세계 여러 나라 국기를 만들기도 했다.

미스 실리아는 그럴 때마다 앞장서서 그들을 이끌어 주고, 더 재미있게 놀 수 있도록 도움을 주었다.

미스 실리아는 각기 독특한 개성을 가진 벤과 뱁, 베티가 집 안에만 틀어박혀 있던 도니에게 좋은 영향을 주는 것을 보고 마음속으로 무척 기뻐했다.

도니는 벤을 가르치면서 배운 것을 잊지 않고 복습할 수 있었다. 그리고 응석받이로서 누나에게 어리광만 부리던 성질도 뱁과 베티와 함께 놀면서 차츰 고쳐졌다. 무엇보다도 매일같이 벤과 밖으로 나돌아다니며 몸이 많이 튼튼해진 것이 미스 실리아를 기쁘게 했다.

미스 실리아는 벤에 대해서도 안도의 한숨을 쉬었다. 비록 서커스단에 있을 때의 좋지 않은 습관을 완전히 버리지는 못했지만, 부지런하고 남을 위해서 열심히 일을 하려는 태도를 보이고 있었기 때문이다.

좋은 생활 태도가 생겼다는 것은, 도니와 벤 모두에게 여러 면에서 더할 수 없이 다행한 일이었다.

잠잘 시간이 되어 자기 방으로 돌아오면, 벤은 침대에 들어가기 전에 꼭 미스 실리아의 '나의 왕국'이라는 시를 외웠다. 기도를 할 줄 모르는 벤으로서는 그것이 바로 기도였다. 시를 외우고 나면, 벤의 마음은 마치 기도를 한 것처럼 홀가분해졌다.

방학을 하고 아이들이 학교에 가지 않게 되자, 마을은 갑자기 시끄러워졌다. 늘 집안일 때문에 분주한 어른들은 아이들의 장난이 지나쳐 혹시 다치지나 않을까 걱정했다. 그러나 일손이 부족한 집에서는 어떻게 하면 미꾸라지처럼 빠져 나가는 아이들을 붙잡아 일을 시킬 수 있을까 별렀다.

남자아이들이 가장 즐기는 놀이는 야구였다. 뜨거운 햇볕이 내리쬐고 먼지가 풀썩거려도 개의치 않았다. 그런 것들을 모두 잊을 정도로 야구를 좋아했던 것이다.

도니는 야구를 잘 했다. 그러나 아직 예전 실력을 발휘할 만큼 건강을 회복하진 못했다. 그래서 벤을 대신 넣어 야구 팀을 만들고, 자신은 심판이 되었다.

사실 벤은 야구라는 것을 해 본 적이 없었다. 그러나 원래 운동 신경이 발달한데다가 몸놀림도 재빨라 곧 일류 포수가 되어 도니를 놀라게 했다.

산초는 벤의 뒤를 따라다니면서 벗어 놓은 옷을 지키기도 하고, 이따금 빗맞은 공을 찾아 가지고 와서 소년들의 인기를 독차지했다.

독립 기념일에는 이웃 마을의 야구 팀과 경기를 하기로 되어 있었다. 그런데 막상 그 날이 되었을 때, 도니는 미스 실리아와 함께 읍내를 다녀와야 했고, 가장 뛰어난 선수가 둘이나 나오지 못했다.

의논 끝에 소년들은 야구를 못할 바에야 헤엄이나 치기로 했다.

샘이 앞장을 서자, 벤도 그 뒤를 따라가려고 했다.

바로 그 때, 빌리 바턴이 종이 쪽지를 흔들며 뛰어왔다.

"애들아, 이것 좀 봐!"

빌리는 숨이 차서 헐떡이며 친구들에게 종이를 내보였다.

거기에는 다음과 같은 글이 씌어 있었다.

벤 앵글러 황금 대서커스단, 벨리 빌 시에서 대공연!
7월 4일 오후 1시, 7시 두 차례 공연
입장료:어른 59센트, 어린이 반액

총지배인 프로스트

그 종이 쪽지를 보기 위해 소년들이 우르르 모여들었다. 그들은 모두 화려한 광고지에 마음을 빼앗겼다.

그 광고지에는 스물네 마리의 말이 끄는 마차에 황금색 투구를 쓴 사람, 어릿광대, 곡예사, 사자, 호랑이, 얼룩말 등이 그려져 있었다.

"이거 정말 신나겠는걸!"

키 작은 사일런스 페이라는 아이가 중얼거렸다.

"여기 그려져 있는 게 다 나오는 건 아니야."

서커스단 광고지에 나온 대로 공연을 하는 것이 아니라는 것을 잘 알고 있는 벤이 말했다.

"그래도 나는 구경하러 갈 거야."

샘이 들뜬 표정으로 말했다.

"읍내까지는 6킬로미터도 더 되는데, 어떻게 가려고?"

"걸어서 가면 돼. 6킬로미터가 뭐 그렇게 멀다고……. 시간은 충분하니까, 천천히 걸어가면 되지."

"벤, 같이 안 갈래? 너는 서커스에 대해 잘 알잖아."

빌리가 벤을 꾀었다.

벤은 수많은 관중 앞에서 아빠 어깨에 올라탄 채 재주를 부리던 일을 생각했다. 그러나 벤은 모스 부인에게 허락을 얻기가 어려울 것 같아서 머뭇거렸다.

"겁이 나는 모양이지?"

사일런스 페이가 놀리듯 말했다.

그는 갈 형편이 못 되었으므로, 잔뜩 심술이 나 있었다.

"그런 소리 한 번만 더 하면 따귀를 때려 줄 거야!"

벤이 험악한 얼굴로 소리쳤다.

그러자 사일런스 페이는 비실비실 물러서면서 다시 빈정거렸다.

"돈이 없는 모양이지?"

벤은 보란 듯이 주머니에 손을 넣더니, 천천히 1달러짜리 지폐를 꺼내 보였다.

"이래도 돈이 없어? 나는 너희들 모두를 구경시켜 줄 수도 있어."

"그럼 같이 가자, 벤. 네가 가면 더 재미가 있을 거야."

빌리가 벤의 어깨를 툭 치며 말했다.

그러나 벤은 어쩐지 마음이 내키지 않았다.

"하지만 산초는 어떻게 하지? 혹시 잃어버리기라도 하면……. 게다가

길이 너무 멀어서, 돌아올 때 지치면 내가 안고 올 수도 없고 곤란해."

그 때, 뱁이 그들 쪽으로 다가왔다.

그러자 벤을 서커스에 데려가고 싶어하던 빌리가 휘파람을 불었다.

"됐어, 벤. 뱁에게 산초를 맡기고 가자!"

뱁이 스커트 자락을 펄럭이며 뛰어왔다. 비로소 마음을 정한 벤이 뱁에게 말했다.

"마침 잘 왔다, 뱁. 산초를 집에 좀 데려다 줘. 어머니께는 내가 놀러 갔다가 저녁때 집으로 갈 거라고 말씀드리고……. 미스 실리아가 오늘은 내 마음대로 놀아도 좋다고 허락했거든."

그러면서 벤은 산초의 목에다 가죽끈을 매어서 뱁에게 주려고 했다. 여간해선 주인 곁을 떠나 본 적이 없는 산초였으므로, 벤이 저를 떼어 놓고 가려는 것을 알면 난리가 날 것이 분명했다.

그러나 뱁은 샘이 손에 들고 있는 종잇조각에만 눈을 팔고 있다가 물었다.

"어디 가려고? 엄마가 꼬치꼬치 물어보실 텐데……."

"넌 알 것 없어. 그냥 산초를 데리고 집에 가기만 하면 돼. 어머니께는 그냥 친구들과 놀러 갔다고만 말씀드리고……."

아이들이 옆에서 지켜보고 있었으므로, 벤은 일부러 큰 소리로 말했다.

"벤은 서커스 구경을 가는 거야."

아까부터 심술이 나 있던 사일런스 페이가 불쑥 말했다.

서커스라는 말에 뱁은 반색을 했다.

"서커스 구경? 그럼 나도 갈래."

"너무 멀어서 안 돼."

벤이 당치도 않다는 듯 고개를 저었다.

"멀어도 괜찮아. 나도 잘 걷는단 말이야."

"그래도 안 돼. 너는 돈도 없잖아. 그리고 나는 네가 외출 준비를 할 때까지 기다릴 수가 없어."

"나중에 엄마한테 달래서 갚아 줄 테니, 네가 대신 내주면 되잖아. 그리고 모자가 약간 헌 것이지만, 따로 외출 준비를 할 것 없이 이대로 가면 돼."

뱁은 모자를 밑으로 내려 쓰면서 말했다.

"어머니한테 혼날 거야. 나는 미스 실리아가 하루 종일 놀아도 좋다고 해서 괜찮지만……."

벤은 어떻게든 떼어 놓고 가려고 했지만, 뱁은 막무가내였다.

"여자애를 귀찮게 어떻게 데리고 다녀?"

참다 못해 옆에 있던 샘이 말했다.

다른 아이들도 모두 뱁을 떼어 놓고 가기 위해 온갖 말로 달랬다. 그러나 뱁은 그 말은 들은 체도 않고 소리를 빽 질렀다.

"좋아! 나를 안 데리고 가면, 나도 산초를 집으로 데려가지 않을 거야."

뱁의 얼굴은 거의 울상이 되었다.

그래도 소년들의 마음은 움직이지 않았다. 빌리는 망설이고 있는 벤에게 빨리 가자는 신호를 했다.

"자, 얼른 가자! 벌써 열한 시가 다 됐잖아. 계집애가 12킬로미터나 되는 먼 길을 어떻게 걷는다는 거야?"

샘이 앞장을 서며 말했다.

결국 아이들은 눈물을 줄줄 흘리고 있는 뱁, 앞발을 들어올리며 벤을 따라가려고 발버둥치는 산초를 남겨 둔 채 떠나 버렸다.

벤은 뱁을 매정스럽게 뿌리치고 온 것이 가슴 아팠다.

'그 동안 그렇게 친절하게 대해 주었는데…….'

그러나 아이들과 떠들며 걸어가다 보니, 찜찜하던 마음이 밝아졌다. 곧 서커스를 구경할 수 있다는 사실이 즐거웠던 것이다.

그렇다고 벤이 서커스단에서 지내던 지난날을 그리워하는 것은 아니었다. 어쩌면 서커스 공연장에서 아는 사람을 만나 아빠의 소식을 듣게 될지도 모른다는 막연한 기대가 있었다. 덕분에 벤의 발걸음은 한층 더 가벼웠다.

그 날은 날씨가 몹시 더웠다. 읍내에 들어섰을 때, 아이들은 모두 지쳐서 목이 타는 듯했다. 마침 서커스단의 천막이 내려다보이는 길가에 물통이 있어서, 거기서 잠시 쉬어 가기로 했다. 아이들은 먼지투성이가 된 얼굴을 씻고, 꿀꺽꿀꺽 물을 마셨다.

그 때 방울빵 장수가 지나갔다.

"방울빵을 사서 점심 대신 먹자."

아이들은 펄럭이는 서커스단의 깃발이 보이는 풀밭에 앉아 빵을 맛있게 먹었다.

빵을 다 먹고 일어서려고 할 때였다. 갑자기 샘이 소리쳤다.

"앗, 저게 누구야?"

아이들은 일제히 샘이 가리키는 쪽을 바라보았다. 언덕 밑의 밭고랑 사이로 뱁이 산초를 앞세운 채 힘없이 걸어오고 있었다.

서커스단의 천막은 보이는데 아이들이 눈에 띄지 않아 맥이 빠진 모양이었다. 얼굴이 눈물과 먼지로 뒤범벅이 된 뱁은 한쪽 발까지 질질 끌고 있었다. 발가락에 물집이라도 잡힌 모양이었다.

산초는 무슨 냄새를 맡은 듯 가죽끈을 자꾸만 당겼지만, 뱁은 지칠 대로 지쳐서 뒤따를 기운이 없는 것 같았다.

산초는 차츰 더 힘을 주어 끈을 당겼다. 뱁은 금방이라도 엎어질 것 같은 자세로 뒤따라왔다.

이윽고 산초는 뱁을 뿌리치고 단숨에 언덕을 뛰어올라 물통의 물을 마셨다. 그리고는 숲 속에 있는 아이들을 향해 맹렬한 기세로 달려왔다. 그 바람에 벤은 하마터면 언덕 아래로 굴러떨어질 뻔했다.

산초를 따라 헐떡이면서 언덕을 올라온 뱁은, 아이들을 발견하고는 반가운 나머지 웃다가 울다가 했다. 아이들도 이 용감한 소녀에게는 화를 낼 수가 없었다.

"왜 우리 뒤를 쫓아온 거야?"

얼마 후, 샘이 심술궂은 목소리로 물었다.

"내가 너희들을 따라온 줄 알아? 산초가 자꾸만 벤을 따라가려고 해서 내가 끌려온 거지. 얼마나 설쳐 대는지 집으로 돌아갈 수가 없었어. 나는 산초가 어디로 달아나지 못하게 가죽 끈을 꽉 쥐고 있었을 뿐이야. 끈을 놓았다가는 산초를 잃어버릴 테니까. 나는 산초에게 끌려왔을 뿐이라고."

뱁이 억울하다는 듯 목소리를 높였다.

그러자 벤은 어쩔 수 없다는 얼굴로 물었다.

"그래서 넌 어쩔 생각이냐? 서커스 구경을 하고 갈 거야?"

"물론이지. 돈은 너한테 있지? 여기까지 왔는데, 돌아갈 때 너희들과 따로 가면 좋겠니? 벤, 설마 나를 또 따돌릴 생각은 아니겠지?"

뱁이 야무지게 말했다.

빌리는 두 손 들었다는 듯 고개를 절레절레 흔들더니 말했다.

"이렇게 된 이상 어쩔 수 없지. 다 함께 구경이나 신나게 하고 돌아가자."

뱁을 포함한 아이들은 신나게 언덕을 뛰어내려갔다. 산초도 기운이 나서 깡충깡충 뛰면서 뒤를 따라갔다.

서커스단의 울긋불긋한 천막과 펄럭이는 깃발은 아이들의 마음을 풍선처럼 부풀게 만들었다.

이윽고 구경꾼들이 천막 안으로 들어가기 시작했다.

벤과 아이들도 바깥에서 서성대고 있을 수만은 없었다. 벤은 표 파는 곳으로 가서 익숙하게 돈을 내밀고 표를 샀다. 그리고는 두 손을 주머니에 찔러 넣은 채 어슬렁어슬렁 안으로 들어갔다. 다른 아이들도 벤의 뒤를 따랐다.

벤은 마치 서커스단의 단원이라도 되는 것처럼 여기저기 다니며 아이들에게 동물들을 구경시켜 주었다.

뱁은 벤의 옷자락을 꽉 잡은 채 눈을 크게 뜨고 사방을 둘러보았다. 사자, 호랑이, 원숭이, 낙타……. 어느 것이나 다 신기했다.

동물 우리 한가운데는 코끼리 다섯 마리가 들어 있었는데, 마른풀을 먹고 있었다. 빌리는 그 엄청난 덩치에 놀라 다리가 덜덜 떨리는 것 같았다. 샘은 동물 중에서 원숭이가 가장 마음에 드는 모양이었다.

"꼭 엄마 치마 같아."

줄무늬가 있는 얼룩말을 가리키며 뱁이 말했다.

이어서 뱁은 조랑말과 그 새끼를 보고는 좋아서 팔짝 뛰었다. 망아지는 마른풀 위에서 꾸벅꾸벅 졸고 있었는데, 그 귀여운 모습이 마치 장난감처럼 보였다.

"한번 만져 보고 싶어!"

뱁은 울타리 밑으로 기어들어가서 망아지를 쓰다듬어 주었다. 망아지는 졸린 눈을 가까스로 뜨고 뱁을 쳐다보았다.

"뱁, 그러면 안 돼! 이리 나와!"

벤이 나무라듯 말했다.

실은 자기도 그렇게 하고 싶었지만, 잔뜩 점잔을 빼던 끝이라 가볍게 행동할 수가 없었던 것이다.

조랑말 우리에서 나온 뱁은 다음에는 사자 우리로 갔다. 새끼사자는 마치 작은 고양이 같았는데, 세수를 하는 것처럼 천천히 앞발로 얼굴을 닦고 있었다.

"머리를 쓰다듬어 줄까? 그러면 고양이처럼 목을 가르릉거릴 것 같아."

뱁이 말했다.

벤은 깜짝 놀라 뱁의 스커트를 잡아당겼다.

"그러다가 큰일나려고! 손을 물어뜯기고 싶어?"

이어서 아이들은 낙타 우리로 걸음을 옮겼다. 등에 혹이 있는 낙타는 눈을 가늘게 뜬 채 풀을 질겅질겅 씹고 있었다. 두고 온 고향을 그리워하는 것처럼 보였다.

"자, 이제 어서 자리를 잡아야지. 난 악대 곁이 좋아. 혹시 아는 사람을 만날지도 모르니까."

벤이 말했다.

그러나 아이들 중 몇 명이 반대를 하는 바람에 그 의견은 받아들여지지 않았다.

마침내 그들은 악대에서도 가깝고 공중 그네도 잘 보이는 곳에 자리를 잡았다.

벤은 마치 오빠가 누이동생에게 하는 것처럼 뱁에게 땅콩, 과자 같은 것을 사 주었다. 뱁은 좋아서 입이 다물어지지 않았다.

오랜만에 보는 낯익은 광경에 마음이 들떴는지 산초는 연신 엉덩이를 들썩거렸다. 당연히 무대에 나서야 할 제가 구경꾼들 틈에 끼여 있는 것이 불만인 듯했다. 벤은 그런 산초의 마음을 가라앉히느라 계속 머리를 쓰다듬어 주었다.

"산초도 무대에 나가고 싶은가 봐."

샘이 말했다.

"벤, 너도 나가서 재주를 부려 봐!"

빌리도 한 마디 했다.

"저런 것쯤이야 눈 감고도 할 수 있지."

벤은 팔다리가 근질거리는 것을 가까스로 참고 말했다.

그 때, 바로 뒤에서 아이들이 주고받는 이야기를 유심히 듣고 있는 사나이가 있었다. 그는 이따금 산초를 살펴보았다.

무대 위에 음악 소리와 함께 말을 탄 사람들이 등장했다. 번쩍거리는 옷과 마차, 그리고 요란하게 꾸민 말들이 무대를 꽉 채웠다.

곡예와 요술, 줄타기 등이 계속되는 가운데 아이들은 침을 삼킬 사이도 없이 무대 위에 정신을 팔고 있었다.

이윽고 어릿광대가 개 여섯 마리를 이끌고 무대 위에 나타났다.

"이번엔 개들이 재주를 부릴 차례인가 봐!"

뱁이 손뼉을 치며 소리쳤다.

더 이상 참을 수 없다는 듯 산초는 무대로 달려나가려고 했다.

"안 돼, 산초!"

벤은 깜짝 놀라 가죽끈을 힘껏 잡아당기며 산초를 한 대 때렸다.

산초는 골이 나서 입을 쑥 내민 채 휙 돌아앉았다.

무대에서는 두 마리의 개가 계속 곡예를 하고 있었으나, 산초는 거들떠보지도 않았다.

벤은 토라져 있는 산초를 곁눈질했다. 가엾다는 생각이 들기도 했지만, 그렇다고 섣불리 무대에 끼어들게 내버려둘 수도 없는 노릇이었다.

뒤에 앉아 있는 그 수상한 사나이는 벤과 산초의 실랑이를 유심히 지

켜보고 있었다.
그러는 동안 개들의 순서가 끝났다.
이번에는 작은 여자아이들의 곡예 순서였다.
뱁은 손바닥이 빨갛게 되도록 박수를 치면서 생각했다.
'나도 집에 가면 빨랫줄을 매어 놓고 한번 해 봐야지.'
맨 끝으로 코끼리가 곡예를 하고 쿵쿵 소리를 내며 무대에서 물러갔다. 바로 그 때, 난데없는 천둥 소리와 함께 소나기가 쏟아지기 시작했다. 곧 천막 사이로 빗물이 흘러들었다.
갑자기 내린 비 때문에 걱정이 되어 급히 돌아가려는 구경꾼들로 천막 안이 시끄러워졌다. 부모들은 마치 암탉이 병아리를 부르는 것처럼 여기저기서 자기 아이들을 소리쳐 불렀다.
"나 먼저 가야겠다. 아는 사람을 만나서 함께 마차를 타고 가게 됐거든. 너희들은 나중에 와."
샘이 맨 먼저 천막에서 빠져 나갔다.
천둥 소리가 마치 하늘에서 대포라도 쏘는 것처럼 크게 울렸다. 그럴 때마다 빌리는 겁에 질려 머리를 싸매고 쩔쩔맸다.
"천둥이 그렇게 무섭니?"
벤이 어이없다는 표정을 지었다.
"그래, 나는 천둥 치는 게 세상에서 제일 무서워. 아, 언제나 비가 그칠까……."
빌리뿐만 아니라 모두들 맥이 없어 보였다. 더운 날씨에 마구 먹은 레몬과 사탕 따위가 좋지 않았던 모양이다. 벤은 한숨을 쉬었다.
속으로는 은근히 걱정이 되었지만. 벤은 아무렇지도 않다는 듯 무뚝뚝하게 말했다.
"뱁, 분명히 내가 네게 같이 오자고 한 건 아니지? 네가 좋아서 따라

온 거니까 내 원망은 하지 마."

사실 뱁은 몹시 피곤해서 쉬고 싶었다. 하지만 그런 말을 입 밖에 내진 않았다.

"원망 안할 테니 걱정 마. 집까지 충분히 걸어갈 수 있어."

재미있는 서커스 구경을 한 뒤, 몇 킬로미터나 비를 맞으며 걸어간다는 것은 솔직히 말해서 즐거운 일은 아니었다.

그 때, 사람들 틈에서 누군가 빌리를 불렀다. 농부 차림의 남자였는데, 부인과 아이들을 데리고 있었다.

빌리는 그를 보자 반색을 했다.

"아, 아저씨! 그러잖아도 어떻게 돌아갈까 걱정을 하고 있었던 참이에요. 집까지 좀 데려다 주시겠어요?"

그러자 부인이 놀란 듯 호들갑스러운 목소리로 말했다.

"아니, 넌 앓고 난 지가 얼마나 되었다고 이렇게 멀리까지 왔니? 자, 어서 오너라. 우리는 짐마차를 타고 왔으니, 함께 타고 가자."

"아저씨, 그럼 여기 있는 벤과 뱁도 좀 태워 주시겠어요?"

빌리가 부탁했으나, 농부는 난처한 듯 고개를 저었다.

"그건 안 되겠는데……. 짐이 너무 많고, 가는 길에 또 태워야 할 사람들이 있거든. 어서 너나 타려무나."

농부는 빌리에게 재촉했다.

"벤, 미안해서 어쩌니? 내가 먼저 가서 뱁의 어머니께 말씀드려 마차를 보내 줄게."

빌리는 그런 말을 남기고 농부를 따라가 버렸다.

"우리는 비가 그칠 때까지 기다려 보는 수밖에 없겠다."

벤은 뱁에게 말한 다음, 주위를 둘러보았다.

서커스 단원들은 뒤처리와 다음 공연 준비 때문에 바삐 왔다갔다하고 있었다.

동물들에게 먹이를 주려고 여물통을 들고 다니는 사람들을 유심히 보고 있던 벤이 갑자기 소리쳤다.

“아, 저기 내가 아는 사람이 있다! 혹시 아빠 소식을 알고 있을지도 몰라. 뱁, 잠깐만 산초를 데리고 있어. 곧 돌아올 테니까, 꼼짝 말고 여기 있어야 해.”

벤은 뱁에게 말하고 그 사나이 쪽으로 달려갔다.

뱁은 벤을 따라가려는 산초를 붙들고 있다가, 문득 아까 보았던 조랑말과 그 새끼가 생각났다. 가기 전에 꼭 다시 한 번 보고 싶었다. 그래서 앞뒤 생각할 겨를도 없이 산초를 옆에 있는 기둥에 매어 두고 울타리를 넘어 조랑말이 있는 곳으로 갔다.

뱁은 정말 생각 없는 짓을 한 것이었다. 벤의 뒷자리에서 아까부터 그들의 거동을 살피고 있던 그 수상한 사람이 바로 그런 순간을 기다린 듯 자리에서 일어섰다.

그 수상한 사람은 밀리는 사람들 사이를 헤치고 슬그머니 산초에게 다가섰다. 그는 끈을 풀어 산초를 번쩍 안더니, 눈 깜짝할 사이에 사람의 물결 속으로 사라져 버렸다. 산초는 목이 터지도록 짖었으나, 사람들이 떠드는 소리와 천둥 소리에 파묻혀 들리지 않았다.

벤은 잠시 후에 돌아왔다. 뱁도 곧 돌아왔다.

벤이 산초가 어디 있느냐고 묻자, 뱁은 기어들어가는 목소리로 대답했다.

“그러니까 여기 매어 두고 조랑말한테……. 어디 갔지? 분명히 여기 이 기둥에…….”

그러나 벤은 이미 뱁의 말을 듣고 있지 않았다. 그는 미친 듯이 산초를 부르며 구경꾼들 사이로 헤치고 들어갔다.

어떤 사람이 애타게 산초를 부르는 벤을 보고 말했다.

"털이 하얗고 복슬복슬한 개를 찾는 거냐? 그럼 밖으로 나가 봐라. 죽어라고 짖어 대는 걸 조금 전에 어떤 사람이 안고 가던데……."

그 말을 듣자마자 벤은 쏜살같이 밖으로 나갔다. 뱁도 그 뒤를 따랐다. 소나기가 세차게 쏟아지고 있었으나 아랑곳하지 않았다. 그러나 그때 벌써 산초는 그 수상한 사람의 짐마차 속으로 끌려들어간 뒤였다.

벤은 뱁의 어깨를 잡고 마구 흔들며 소리쳤다.

"뱁, 만일 산초가 돌아오지 않는다면, 나는 영원히 너를 용서하지 않을 거야. 절대로 용서 못해!"

벤의 얼굴은 빗물과 눈물이 범벅이 된 채 일그러져 있었다.

사랑하고 아끼던 것을 잃은 적이 있는 사람이라면 벤의 심정을 이해할 수 있을 것이다.

뱁은 뭐라고 말할 수 없이 미안해서 몸둘 바를 몰랐다. 그러나 일은 이미 벌어졌고, 산초의 모습은 찾을 길이 없었다.

"벤, 미안해. 내 잘못 때문에……. 그렇지만 산초는 반드시 찾을 수 있을 거야. 꼭 돌아올 거야. 산초는 영리해서 아무리 집이 멀어도 찾아온다고 네가 말했잖아."

뱁이 말했으나, 벤에게는 그 말이 위로가 되지 않았다. 목이 메어 대꾸할 수도 없었지만, 그런 말을 들으니 가슴이 더 아픈 것 같았다.

소나기는 어느 새 가랑비로 바뀌어 있었다. 서커스 구경을 마치고 돌아가는 마차들이 흙탕물을 튀기며 지나가는 바람에 벤과 뱁은 온통 흙투성이가 되고 말았다.

뱁은 지친데다 배까지 고파서, 3킬로미터쯤 걷고 나니 한 걸음도 더 걸을 수가 없었다. 벤은 입을 굳게 다문 채 앞서 걸어갔다.

'이러다가 벤이 영영 나와 말을 하지 않는 것은 아닐까?'

밥은 속으로 그런 걱정을 하며 힘겹게 한 발 한 발 옮겨 놓았다.

그 때였다. 어떤 마차 뒤를 따라가던 큰 개가 벤에게 다가와 마치 인사라도 하듯 다정하게 코를 비벼 댔다. 그 모습을 보자, 뱁은 더 이상 참을 수가 없었다.

'아, 산초는 어디 있을까! 영리하고 귀여운 산초…….'

마침내 뱁은 훌쩍거리면서 울기 시작했다.

그 바람에 벤도 마음이 약간 풀렸다.

'후회하고 있는 모양이지? 그래도 조금 더 가서 말을 걸어야지.'

그 때 뱁이 나무 뿌리에 걸려 넘어졌다. 벤은 재빨리 달려가서 일으켜 주었다. 그러나 뱁은 흙탕물 속에 털썩 주저앉아 소리내어 엉엉 울었다.

"아, 배고프고, 춥고, 다리 아파!"

아마 모스 부인이 그 광경을 보았더라면 기절했을 것이다.

"그만 울어, 뱁. 아까는 내가 심했어. 다시는 안 그럴게."

"아니야. 네가 아무리 화를 내도 난 할 말이 없어. 내가 산초를 그런 곳에 매 두었기 때문에 잃어버렸으니까."

"너도 그럴 줄 모르고 한 일이잖아. 자, 어서 일어나서 얼굴 닦아. 혹시 산초가 우리보다 먼저 집에 가서 기다릴지도 몰라."

뱁이 기운을 차릴 수 있게 하기 위해 벤은 마음에도 없는 소리를 했다. 그리고 뱁을 끌다시피하여 다시 걸음을 옮겨 놓았다.

이윽고 벤과 뱁은 집 근처 언덕에 이르렀다. 둘 다 비를 흠뻑 맞아서 물먹은 솜처럼 몸이 무거웠다.

길 옆에 있는 농가에서 빨강머리 패트가 마차를 몰고 나왔다. 그는 두 아이를 알아보고 소리를 질렀다.

"아니, 그게 무슨 꼴이냐?"

뱁은 살았다는 듯이 패트를 향해 달려갔다.

"엄마가 지주 어른께 부탁을 하셨나요?"

그러면서 재빨리 마차 위로 기어올라갔다.

하지만 벤은 평소와 다름없이 심술궂은 표정을 하고 있는 패트가 마음에 거슬려 내뱉듯이 말했다.

"나는 아저씨가 데려다 주지 않아도 괜찮아요!"

"다 죽게 생겼어도 여전히 큰소리구나. 네 마음대로 해! 난 너희들 때문에 늦게까지 일을 하게 되었단 말이야!"

패트는 뱁만 태운 채 마차를 돌려 오던 길로 달려갔다.

그러나 벤은 마차가 막 달리기 시작할 때 재빨리 그 뒤에 매달렸다. 마치 날쌘 다람쥐 같았다.

이윽고 마차가 문간에 들어섰다. 먼저 뛰어내린 벤은 보란 듯이 집안으로 달려들어갔다. 패트는 약이 올라 씩씩거렸으나, 벤을 잡을 수는 없었다.

빌리의 전갈을 듣고 걱정하던 모스 부인은 두 아이를 보자 깜짝 놀랐다.

벤은 단단히 꾸중을 들을 각오를 하고 고개를 숙였지만, 모스 부인은 말없이 아이들의 젖은 옷을 갈아입혔다.

뱁은 벤과 함께라면 꾸중을 들어도 좋다는 듯 철없이 서커스 흉내를 내며 떠들었다. 그 바람에 베티는 물론 도니까지도 허리를 움켜쥐고 웃었다.

그러고 있는데, 미스 실리아가 왔다.

미스 실리아는 여느 때와 다름없이 부드러운 표정으로 베티와 도니에게 말했다.

"너무 그렇게 웃어 주지 마라. 이 말썽꾸러기들이 자기들끼리 서커스 구경을 갔다가 돌아온 것이 잘한 짓인 줄 알면 어쩌니?"
그런 다음, 벤을 향해 엄하게 말했다.
"오늘 너는 큰 잘못을 했어. 하지만 산초를 잃어버린 것으로 벌을 받은 셈이니, 야단은 치지 않겠다. 산초가 어서 돌아왔으면 좋겠구나."
산초라는 말이 나오자, 벤의 눈에는 어느 새 눈물이 맺혔다. 그러면서 자기도 모르게 늘 산초가 앉아 있던 자리로 눈길을 보냈다.

깊어지는 우정

산초가 없어지고 난 후, 사람들은 모두 마음 한구석이 텅 빈 듯 쓸쓸했다. 사실 개야 많지만, 산초만큼 귀엽고 영리한 개는 드물 것이다. 또 산초만큼 사람들의 사랑을 독차지했던 개도 흔치 않을 것이다.
벤이 어머니 같은 모스 부인을 만나게 된 것도 산초 덕분이고, 까다로운 도니와 친해질 수 있었던 것 역시 산초 덕분이었다. 산초는 뱁과 베티에게도 좋은 친구였으며, 특히 벤과는 말로 표현하기 힘들 정도로 가까운 사이였다. 아빠가 돌아가셨다는 말을 듣고도 벤이 그 슬픔을 이겨 낼 수 있었던 것 역시 산초 덕분이었다.
그러니 산초가 없어진 지금 벤이 느끼는 외로움은 도저히 견딜 수 없을 정도였다.
벤이 상심하는 것을 보고 가엾게 생각한 미스 실리아는 산초를 찾는 광고까지 내 주었다. 도니는 선뜻 상금을 내놓았다. 심지어는 심술쟁이 패트까지도 읍내에 갈 때는 개들을 유심히 살필 정도였다. 그러나 산초가 어디 있는지 알아 내지는 못했다. 날이 갈수록 벤은 기운을 잃어 갔으며, 뱁에게는 눈길도 주지 않았다.
그런 가운데 한 주일이 지났다. 벤은 밭에서 김을 매다가도 이따금 멍하니 생각에 잠기는가 하면, 갑자기 굵은 눈물을 뚝뚝 흘렸다.

"나만 자꾸 괴롭히는 걸 보면, 하느님은 공평치 못하신 것 같아. 아빠가 돌아가신 지 얼마 되지도 않았는데, 산초마저 잃게 하시다니……. 만일 미스 실리아마저 곁에 없었더라면 견디지 못했을 거야."

도니는 벤이 슬퍼하는 모습을 보고 안타까워했다.

"산초가 살아 있기만 하면 우리가 어떻게든 찾아 줄 테니까, 너무 슬퍼하지 마. 만약 끝내 못 찾는다면, 누나한테 더 좋은 개를 사다 주라고 할게."

도니의 위로에도 벤은 고개를 저었다.

"난 아무리 좋은 개라도 산초보다 더 사랑할 수는 없을 거야. 산초는 이 세상에서 가장 영리하고 귀여운 개야. 아, 산초……."

벤의 눈에는 어느 새 눈물이 가득 괴었다.

도니는 그런 벤을 보며 안쓰러움을 느꼈다.

"벤, 갖고 싶은 게 있거든 말해 봐. 공작, 당나귀, 토끼……. 아무거나 괜찮아. 무엇이든 원한다면 네게 줄게."

도니는 어떻게든 벤의 마음을 위로하려고 애썼다.

그 따뜻한 마음에 벤은 깊은 감동을 받았다. 하지만 그것을 어떻게 표현해야 할지 몰랐다.

"신경써 줘서 고마워, 도니. 하지만 난 아무것도 필요없어. 연달아 슬픈 일이 닥치는 바람에 뭘 어떻게 해야 좋을지 모를 뿐이야."

어느 날, 벤과 베티, 뱁, 그리고 도니가 뜰에 있는데, 밖에서 손풍금 소리가 들려왔다.

담 너머로 내다보니, 한 남자가 어깨에 원숭이를 올려놓고 손풍금을 켜면서 길을 가고 있었다.

도니는 원숭이의 재주를 보면 벤이 잠시나마 슬픔을 잊을 수 있지 않

을까 생각하고, 뱁과 베티에게 그 남자를 불러오게 했다.

두 소녀는 좋아서 어쩔 줄 몰라하며 그 남자를 집 안으로 안내했다.

그 남자는 이탈리아의 나폴리 출신으로, 광대놀음을 하면서 여기저기 떠돌아다니는 사람이었다.

그 이탈리아 사람은 싱글싱글 웃으면서 계속 손풍금을 연주했다. 원숭이는 꾸벅꾸벅 절을 하며 도니가 던져 준 동전을 모았다.

“좀 쉬세요. 피곤하실 텐데…….”

도니는 그 이탈리아 사람에게 쉬어 가기를 권하며 빵과 우유를 갖다 주었다.

“고맙군.”

그는 기분 좋은 얼굴로 시원한 나무 그늘에서 빵과 우유를 먹었다. 원숭이는 풀밭에서 뒹굴다가 잠이 들었다.

그 때, 미스 실리아가 나왔다. 그리고 그 남자와 이탈리아 말로 이야기를 주고받기 시작했다.

미스 실리아는 나폴리에 간 적이 있었으므로, 고향을 떠나 돌아다니는 그 남자를 위로해 줄 생각으로 이탈리아 말을 썼던 것이다.

그러는 동안 벤은 원숭이의 옷을 제대로 입혀 주며 혼잣말로 중얼거렸다.

"산초만 있었으면, 나도 저 아저씨처럼 여기저기 돌아다닐 수 있었을 텐데……."

그 소리를 들은 미스 실리아는 그 남자에게, 혹시 여행하는 도중 산초 같은 개를 보거든 연락을 해 달라고 말했다. 그런 다음, 산초의 특징과 재주 부리는 모양, 집 주소 따위를 상세하게 가르쳐 주었다.

그러자 그 이탈리아 사람은 고개를 갸웃거리며 말했다.

"뉴욕에서였던 것으로 기억하는데, 방금 말씀하신 것과 비슷한 재미있는 개를 봤어요. 글자를 가지고 재주를 부릴 때는 번번이 틀렸지만……."

그 말에 모두들 귀를 쫑긋 세웠다.

"그 개의 이름이 뭐라고 하던가요?"

"아마 제너럴이었을 거예요. 그런데 항상 '제너럴'이 아니라 '산초'라는 글자를 주워 모으는 바람에 얻어맞았지요."

"아아, 바로 산초야!"

벤이 화들짝 놀라며 소리쳤다.

미스 실리아도 기대에 찬 표정으로 물었다.

"털 빛깔은 어땠어요?"

"까맸어요. 꼬리는 요런 모양이고……."

그러면서 그 이탈리아 사람은 새끼손가락을 들어 보였다.

털빛이 까만데다 꼬리까지 빈약하다니까, 모두들 실망하여 맥없이 고개를 숙였다.

"역시 아닌 것 같군요. 산초란 이름을 가진 개가 또 있는 모양이지요."

그러나 벤의 생각은 달랐다. 산초라는 글자를 모을 수 있는 개는 산초 외에는 없다고 믿었기 때문이다.

그 순간, 벤의 머리를 퍼뜩 스쳐 가는 생각이 있었다.

"어쩌면 그 개는 산초일지도 몰라요! 개를 훔친 녀석들이 털에 물을 들이고, 꼬리를 자른 게 틀림없어요! 서커스단에서는 남의 눈을 속이려고 별의별 짓을 다하거든요. 산초도 그런 변을 당한 게 분명해요."

벤은 분개한 표정으로 말했다.

잠시 후, 이탈리아 사람은 원숭이를 어깨에 얹고 가야겠다면서 일어났다.

"잘 쉬었다 갑니다."

그는 몇 번이나 고맙다는 인사를 하고 떠나갔다.

벤과 도니는 그를 학교 있는 데까지 배웅하면서, 뉴욕에 있다는 그 서커스단에 대해 자세히 물어 두었다. 아무래도 산초에 대해 단념할 수가 없었기 때문이다.

그날 밤, 도니는 늦게까지 안 자고 뉴욕에 있는 사촌 호레이스에게 편지를 썼다. 산초를 잃어버리게 된 사정을 자세히 이야기하고, 뉴욕의 그 서커스단에 있는 개가 과연 산초인지 알려 달라고 했다. 그리고 필요하면 경찰서에라도 연락해서 도움을 청해 보라고 했다.

며칠 후, 호레이스로부터 답장이 왔다. 그 동안 호레이스는 제딴엔 제법 눈부신 활약을 한 것 같았다.

하지만 내용은 실망스러운 것이었다.

그 까만 개의 주인에 대해 알아본 결과 다소 수상한 점이 있지만, 그도 역시 그 개를 낯선 사람으로부터 샀다는 것이다. 그 후 산초인지 아닌지 알 수 없는 그 개 덕분에 꽤 돈을 벌었는데, 어느 날 갑자기 개가 달아나는 바람에 주인이 무척 낙담하고 있다는 내용이었다.

"개가 달아났다니……. 게다가 산초인지 아닌지 확인할 길도 없고, 또 아무리 영리한 산초라 해도 16킬로미터가 넘는 먼 길을 찾아올 수는 없겠지?"

도니가 실망한 듯 말했다.

그러나 벤은 희망을 버릴 수가 없었다. 벤은 누구보다 산초를 잘 알고 있었기 때문이다.

"그 개는 분명히 산초야. 언제가 될지 모르지만, 산초는 반드시 나를 찾아올 거야."

벤은 자기 생각을 철석같이 믿었다. 그리고 그 날 이후 산초가 돌아올 것으로 믿고 밤마다 잠들기 전에 폭신한 쿠션을 현관 앞에 놓아 두었다.

그러나 산초는 몇 주일이 지나도 돌아오지 않았다.

그러던 어느 날이었다. 미스 실리아는 시바리타를 타고 멀리 산책을 나갔다.

그로부터 한 시간 정도 지났을 때였다. 시바리타가 혼자 돌아왔다. 고삐는 질질 끌리고, 안장은 배 아래로 축 처져 있었다. 시바리타의 한쪽 옆구리에 검은 흙이 묻어 있는 것으로 보아 넘어져서 뒹굴었던 모양이었다.

벤은 놀라서 가슴이 철렁했다. 읽고 있던 책을 휙 집어던지고 다가가 보니, 시바리타는 거칠게 숨을 몰아쉬며 온몸이 땀으로 젖어 있었다. 먼 길을 있는 힘을 다해 달려온 모양이었다.

시바리타는 무엇인가 이야기하고 싶은 듯 콧등을 벤의 어깨에 비벼 대고, 발굽으로 흙을 차서 뿌렸다.

벤은 그런 모양을 찬찬히 관찰하다가, 시바리타의 눈동자를 들여다보며 물었다.

"미스 실리아는 어디 계시니, 시바리타?"

시바리타의 눈에는 걱정스러운 기색이 가득했지만, 핏발이 서지는 않았다. 또 어디를 심하게 다친 것 같지도 않았다. 그러나 무슨 일이 있었던 것은 분명한 듯했다.

시바리타는 고개를 번쩍 치켜 들더니, '히힝!' 하고 크게 한 번 울었다. 그리고 왔던 길을 다시 가려고 했으므로, 벤은 재빨리 고삐를 잡았다.

"미스 실리아를 찾으러 가자고? 좋아!"

벤은 안장을 풀어 땅에 내려놓은 다음, 신을 벗어 던졌다. 그리고 말 등에 올라탔다. 긴장해서 그런지 온몸이 떨리는 것 같았다.

"아주머니, 미스 실리아가 사고를 당한 모양이에요! 도니는 낮잠을 자고 있는데, 제가 돌아올 때까지 아무 말도 하지 마세요!"

벤은 모스 부인에게 소리친 다음, 고삐를 확 잡아당겨 말을 돌리고는 쏜살같이 달려갔다.

약 4킬로미터쯤 달렸을 때, 보리밭 울타리 막대 두어 개가 넘어져 있는 것이 보였다. 보리밭 옆으로 개천이 흐르고 있었는데, 아마도 시바리타가 그 개천을 뛰어넘다가 넘어진 모양이었다.

벤은 막대가 넘어져 있는 쪽으로 달려갔다.

"시바리타, 미스 실리아는 어디 계시지?"

벤이 묻자, 시바리타는 주인을 찾으려는 듯 땅에 코를 대고 여기저기 돌아다녔다.

"미스 실리아! 어디 계세요? 미스 실리아!"
벤은 목청껏 소리를 질렀다.
그러나 아무 대답도 없었다. 벤은 개천을 따라 천천히 말을 몰면서 들판의 이곳저곳을 살펴보았다.
멀리 떨어진 곳에 농가가 한 채 보이고 개천 건너에 작은 바위가 하나 있을 뿐, 눈에 띄는 것이 별로 없었다. 벤은 우선 그 작은 바위가 있는 곳으로 말을 몰아 갔다.
몇 발짝이나 갔을까, 바위 뒤쪽에서 무엇인가 바람에 펄럭이는 것이 있었다. 그것은 까만 스카프였다. 그 순간, 시바리타가 껑충 뛰어올랐다. 벤은 얼른 그 바위 뒤로 달려갔다.
미스 실리아는 그 바위 그늘에 쓰러진 채 꼼짝도 못하고 있었다. 백지장같이 하얀 얼굴에 눈을 꼭 감고, 아무리 불러도 기척이 없었다.
벤은 어떻게 할까 잠시 생각하다가, 개천으로 뛰어내려가서 밀짚모자에 물을 가득 담아다 미스 실리아의 얼굴에 끼얹었다. 누가 정신을 잃거나 몹시 지쳐서 쓰러졌을 때, 서커스단 사람들이 곧잘 그러는 것을 본 적이 있었다.
"미스 실리아! 정신 차리세요, 미스 실리아!"
이윽고 미스 실리아가 눈을 떴다. 파란 눈동자가 보였다.
그녀는 걱정스러운 얼굴로 들여다보고 있는 벤을 알아보고 기운 없는 목소리로 말했다.
"아, 벤……. 네가 와 줄 줄 알았어. 시바리타를 보냈지……."
벤은 말소리를 듣고야 약간 마음이 놓였다.
"어디를 다치셨어요? 움직이실 수 있겠어요?"
벤이 물었다.
그러나 미스 실리아는 고개를 저었다.

"아니, 너무 아파서 움직일 수가 없어……. 아무래도 팔이 부러진 것 같아. 시바리타는 나를 떨어뜨리지 않으려고 애를 썼지만 어쩔 수가 없었어……. 가까스로 여기까지 와서는 그만……. 벤, 누구를 좀 불러다오……."

미스 실리아는 말을 계속할 수 없이 괴로운 듯 눈을 감았다.

"잠깐만 기다리세요."

벤은 급히 근처에 있는 페인 씨의 농가를 향해 말을 달렸다.

벤이 말을 타고 갑자기 뛰어들자, 농가 뒤뜰에서 뜨개질을 하고 있던 할머니는 깜짝 놀라 눈이 휘둥그레졌다.

"무슨 일이냐, 벤?"

"도와주세요! 사람이 다쳤어요!"

"남자들은 다 밭에 나갔는데 어쩌지? 도대체 누가 다쳤다는 거냐?"

"미스 실리아가 말에서 떨어졌어요! 저쪽에 누워 있는데, 좀 도와주세요!"

그 말을 한 다음, 벤은 다시 말에 올라타려고 했다. 그러자 할머니가 벤의 소매를 잡았다.

"아니, 뭐? 누가 다쳤다고? 지금 어디 있어?"

할머니는 다급한 마음에 벤이 기관총처럼 쏘아 댄 말을 잘 알아듣지 못했던 것이다.

비로소 사태를 짐작한 할머니는 집 안쪽에 대고 소리쳤다.

"리디, 어서 캠퍼 주사를 준비해라! 멜리시, 넌 침대 시트를 바꿔 놓고!"

그리고는 벤에게 말했다.

"남자들이 저기 밭에서 일하고 있으니, 네가 가서 불러 오려무나. 나는 여기서 피리를 불어 신호를 하마."

할머니가 집 안으로 피리를 가지러 들어가자, 벤은 쏜살같이 밭을 향해 달렸다. 갑작스러운 피리 소리에 밭에 있던 페인 씨와 바이저 씨는 일손을 멈추고 집 쪽을 바라보았다. 멀리서 벤이 말을 타고 달려오는 것이 보였다.

"저 앤 벤 아니냐? 그런데 무슨 일일까?"

"불이 났으면 연기가 올라갈 텐데, 그것도 아니고……."

이윽고 가까이 다가온 벤이 숨을 헐떡이며 두 사람에게 사정 이야기를 했다.

"그래? 그럼 어서 가 보자!"

페인 씨와 바이저 씨는 하던 일을 버려 두고 급히 미스 실리아가 있는 곳으로 갔다.

그들은 미스 실리아를 조심스럽게 수레에 옮겨 실은 다음, 벤에게 말했다.

"벤, 아가씨는 우리가 돌보고 있을 테니까, 너는 곧 읍내에 가서 의사 선생님을 모셔 오너라. 거리가 좀 멀어도 어쩔 수 없지. 가까운 데 뱁코크 영감이 있지만 엉터리거든. 뼈를 고치는 데는 밀스 선생이 전문이야. 자, 어서 가거라!"

벤은 다시 말에 올라타고 급히 고삐를 당겼다.

"조심해라! 시바리타가 숨넘어가겠다."

페인 씨가 소리쳤다.

그러나 그 때 벤은 벌써 밭을 가로질러 달리고 있었다.

"저러다가 말 목이라도 부러뜨리지 않을지 몰라!"

말과 소년이 한덩어리가 되어 총알같이 달려가는 것을 보고 페인 씨가 걱정스러운 얼굴로 말했다.

"아니, 마치 경마 선수 같잖아! 저런 재주를 가진 마부는 처음 보겠군."

바이저 씨도 어이가 없다는 표정을 지었다.

벤은 미스 실리아가 목숨이 위태로울 정도로 많이 다치지 않았다는 것을 알고 한시름 놓았다. 그런 기분으로 시바리타를 타고 달리는 기분은 뭐라고 말할 수 없이 상쾌했다.

혈통 좋은 말 시바리타가 벤과 같이 훌륭한 마부를 만났으니, 그야말로 거칠 것이 없었다. 나는 듯이 달려가는 벤과 시바리타의 모습에, 짐마차나 네 바퀴 마차를 타고 한가로이 시골길을 지나가던 사람들은 눈이 휘둥그레졌다.

부인네들도 창가에 앉아 얌전하게 바느질을 하다가 말고 놀라서 밖으로 뛰어나왔다.

"비켜! 비키라고!"

벤이 소리를 지르며 달려오자, 거리에서 놀던 아이들이 깜짝 놀라 사방으로 흩어졌다.

기록적으로 짧은 시간에 읍내에 도착한 시바리타가 숨을 헐떡거리며 병원으로 달려들어가자, 사람들은 놀라서 혹시 누가 죽었느냐고 물었다.

"선생님은 조금 전 폴린 씨 댁 아기를 보러 가셨는데……."

밀스 선생의 부인이 나와서 말했다.

"폴린 씨 댁이라고요?"

벤은 사람들에게 폴린 씨 댁을 물어 급히 말머리를 돌렸다.

잠시 후, 벤은 서커스 구경을 갔던 날 산초와 친구들과 함께 물을 마시던 언덕에서 밀스 선생을 만났다.

벤의 이야기를 듣더니, 밀스 선생은 폴린 씨 댁에 들러 환자를 보는 즉시 그 곳으로 가겠다고 말했다.

벤은 시바리타에게 물을 먹인 다음, 풀을 뜯어서 그 입가에 묻은 거품을 닦아 주었다.

땀이 마르자 시원한 느낌이 들었다. 벤은 시바리타의 목덜미를 가볍게 두드려 주었다.

"시바리타, 잘했어. 정말 훌륭해."

시바리타도 칭찬하는 것을 아는지, 수줍은 듯 벤의 맨발에 콧등을 비벼 댔다.

벤이 돌아갔을 때, 미스 실리아는 페인 씨 가족들의 보살핌으로 정신을 차리고 있었다.

곧 밀스 선생이 뒤따라와서 치료를 해 주었다.

미스 실리아는 팔이 부러진데다 군데군데 타박상을 입었다. 그러나 크게 다친 데는 없었기 때문에, 밀스 선생은 안정하면 곧 나을 것이라고 말했다.

벤은 안도의 숨을 내쉬며 시바리타와 함께 집으로 돌아왔다.

모스 부인도 벤의 부탁대로 아무 말 안하고, 뱁과 베티는 딸기를 따러 나가고 없었으므로, 도니는 여느 때보다 훨씬 더 잘 자고 일어났다. 사방은 쥐죽은 듯 조용했다.

'모두들 어디로 갔지?'

궁금해진 도니는 어슬렁어슬렁 마구간으로 나왔다.

시바리타와 벤은 새로 깐 짚 위에서 쉬고 있었다. 물통과 스펀지, 솔 따위가 여기저기 널려 있는 것으로 보아, 벤이 시바리타를 공들여 손질해 주었다는 것을 알 수 있었다.

있는 힘을 다해 달린 끝이라 시바리타는 달콤한 휴식에 빠져 있었으며, 그에 어울리는 마부 벤은 시바리타에 기대어 비스듬히 누운 채 반쯤 눈을 감고 있었다.

"이렇게 더운 날 시바리타를 손질하다니, 넌 정말 취미도 이상하구나."

도니가 마구간을 들여다보며 웃었다.

그러자 벤은 벌떡 일어나 앉으며 말했다.

"글쎄……. 네가 만일 우리가 한 일을 안다면, 결코 이상하다고는 생각하지 않을 거야. 그리고 우리가 이렇게 지친 것도 당연하다고 생각하게 될걸."

벤이 모스 부인에게 도니에게 아무 말 말아 달라고 부탁한 것은, 잠결에 흥분하면 좋지 않을 것 같아서였다. 그러나 이젠 완전히 잠이 깼으니 알아도 괜찮을 듯싶었다.

벤으로부터 그 날 일어난 일을 처음부터 끝까지 자세히 들은 도니는 감격해서 눈물을 글썽거렸다.

"벤, 네가 오늘 누나를 위해 애쓴 건 내 평생 잊지 못할 거야. 앞으로 두 번 다시 너를 안짱다리라고 놀리지 않을게."

도니는 벤이 어렸을 때부터 말을 타서 다리가 약간 휘어진 것을 보고 안짱다리라고 놀리곤 했던 것이다.

"괜찮아. 내가 안짱다리였기 때문에 그렇게 말을 달릴 수 있었으니까. 한창 신나게 달릴 때는 내 다리가 여섯 개가 아닌가 싶을 정도였지. 시바리타, 우리는 정말 멋지게 달렸지?"

마치 대답이라도 하는 것처럼 시바리타가 '히힝!' 하고 투레질을 했다. 그 바람에 놀란 두 소년은 뒤로 나자빠질 뻔했다. 둘은 서로 쳐다보며 웃었다.

모든 것이 다 잘 되었다. 미스 실리아가 말에서 떨어진 것은 불행한 일이지만, 그 일을 계기로 벤과 도니 사이의 우정이 더욱 두터워졌으니 결국은 잘된 것이다.

오 해

미스 실리아는 4, 5일이 지나면서부터 팔에 붕대를 감은 채 조금씩 움직일 수 있게 되었다. 아직 얼굴빛은 창백하고 멍도 가시지 않았지만, 생각한 것보다는 회복이 빨랐다. 다들 밀스 선생이 치료를 잘해 준 덕분이라고 했다.

뱁과 베티는 하루 종일 미스 실리아 뒤를 졸졸 따라다녔으며, 도니와 벤도 마치 여왕의 시종처럼 그 곁을 떠나지 않고 시중을 들었다.

이웃 사람들이 끊이지 않고 문병을 왔다. 그런데 오는 사람마다 맛있는 것을 들고 왔으므로, 네 아이들의 입은 계속 바빴다.

가정부 란다는 날마다 오후가 되면 안락 의자를 테라스에 내다 놓았다. 미스 실리아가 나와 그 안락 의자에 앉으면, 숄과 쿠션, 발판 따위를 든 꼬마 시종들이 그 주위에 모여든다. 마치 궁전에서 여왕 마마를 모시는 것 같았다.

뱁과 베티는 그 곁에 앉아 바느질을 시작하고, 벤과 도니는 번갈아 가며 책을 읽었다. 모두들 귀를 기울여 듣고 있다가, 모르는 것이 있으면 질문을 하기로 되어 있었다.

넷 중 아무나 아는 사람이 그 질문에 답을 하는데, 그 대답이 옳은지 그른지는 미스 실리아가 판정을 내렸다.

아이들은 이 독서 시간을 좋아했다. 공부에 많은 도움이 되는데다 재미도 있었기 때문이다.

"이야기를 들으며 일을 하니까 더 잘 되는 것 같아."

뱁의 말에 베티도 고개를 끄덕였다.

"게다가 일한 만큼 품삯도 받으니 더 좋지."

이렇게 하여 아이들은 긴 여름 방학을 재미있고 유익하게 보냈다.

그러는 사이에 도니는 몰라볼 정도로 몸이 건강해졌다. 그리고 아주 의젓해져서, 누나 미스 실리아 대신 믿음직스러운 주인 역할을 훌륭하게 해냈다.

그러나 벤은 도니와는 달리 기운이 없어 보였다. 말에서 떨어진 미스 실리아를 위해 눈부신 활약을 했던 흥분이 차츰 가라앉고 보니, 산초 생각이 다시금 간절해졌기 때문이다.

벤은 당장이라도 산초를 찾으러 떠나고 싶었으나, 그런 생각을 억누르고 겉으로는 명랑한 체했다. 하지만 누가 벤을 조금만 유심히 살펴보았더라면, 그의 속마음을 금방 눈치챌 수 있었을 것이다.

도니를 비롯하여 뱁과 베티 등 모든 사람이 환자인 미스 실리아에게 온 신경을 쓰고 있었다. 그러니 당연히 벤의 그런 변화를 눈치채지 못한 것이다. 단 한 사람, 미스 실리아만은 벤이 달라진 것을 어느 정도 알고 있었다.

독서를 하거나 일을 할 때, 벤은 전과 다름없이 활기차 보였다. 그러나 일이 끝나고 나면, 벤은 곧장 자기 방이나 시바리타가 있는 마구간으로 가서 멍하니 생각에 잠기기가 일쑤였다.

"요즘 벤이 좀 맥이 없어 보이던데……. 왜 그러는지 아니?"

어느 날, 산책을 나갔던 길에 미스 실리아가 동생에게 물었다.

"그야 산초 때문이겠지. 산초를 잃어버리고부터는 겉으론 명랑한 체해도 늘 얼굴에 그늘이 져 있으니까."

"글쎄, 그것말고 또 다른 걱정거리가 있는 건 아닐까? 이를테면 남에게 이야기할 수 없는 고민 같은 것 말이야."

"그런 건 없을 것 같은데……. 아니, 어쩌면 자유로운 생활을 하다가 이렇게 조용히 사는 데 싫증이 났는지도 모르지."

"그러다가 벤이 이 곳을 떠나서 옛날 생활로 되돌아가는 것은 아닐까?"
"그렇진 않을 거야. 벤의 생활은 안정되어 있거든. 전혀 흐트러진 면이 없어."
"일하는 데 꾀를 부리거나 하지는 않는 것 같니?"
미스 실리아가 나직하게 물었다.
"꾀를 부리다니, 그렇게 성실한 애도 드물걸. 가끔 말을 막하기도 하지만, 그건 아마 학교를 제대로 다닌 적이 없기 때문일 거야. 그런데다가 상스러운 말을 하는 어른들 틈에서 자랐으니 그럴 수도 있지."
"그래, 맞는 말이야. 그런데 도니, 한 가지 걱정거리가 있어. 혼자 곰곰이 생각하다가 네게 의논하는 건데……."
미스 실리아가 조심스럽게 말했다.
"걱정거리라니, 그게 뭔데?"
도니는 누나 곁으로 바짝 다가섰다.
"내 책상 서랍에서 요즘 들어 두어 번 정도 돈이 없어졌는데, 아무리 생각해도 어떻게 된 건지 모르겠어. 혹시 벤이 한 짓은 아닐까 걱정이 되어서……."
"누나 방에는 언제나 자물쇠를 채워 두었잖아?"
"그야 그렇지. 그랬는데도 없어졌으니, 귀신이 곡할 노릇이야. 가정부들은 우리와 오래 살았지만, 지금까지 단 한 번도 그런 일이 없었어. 그렇다고 내 돈이 곧 네 돈인데, 네가 누나 돈을 꺼내 갔을 리도 없고……."
"벤이 그런 짓을 하진 않았을 거야. 벤은 자물쇠를 열 줄 모르거든. 언젠가도 내 책상 서랍이 우연히 잠겨 버렸는데, 도무지 열 수가 없어서 소동을 부리다가 결국은 부숴 버리고 말았는걸."
"물론 나도 벤을 의심하는 건 아니야. 하지만 전에 네가 공을 잘못 던져 위쪽 창문으로 들어가자, 벤이 현관 기둥을 타고 올라가서 꺼내 왔잖아. 그 때 네가 '공이 지붕 밑으로 들어가면 어쩌지?' 하고 물으니까 벤이 그랬지. 지붕 밑이든 어디든 자기가 못 들어가는 곳은 없다고. 그 생각이 나면서 조금 걱정이 되었을 뿐이야. 정말이야. 난 벤을 의심하고 싶지 않아. 하지만 만일 벤이 여길 떠나고 싶은 생각이 있다면 돈이 필요할 수도 있잖니? 더구나 벤의 월급은 모두 은행에 예금되어 있으니, 그 대신 좀 가져가도 나쁜 일은 아니라고 생각할 수도 있거든."

그 말을 듣고 보니 그럴 듯했다. 도니는 누나가 걱정하는 것을 보자, 앞뒤를 잘 생각해 보지도 않고 공연히 벤이 미워지는 것이었다.

"그래, 벤이 가져간 게 분명해. 그러고 보니 생각나는데, 오늘 아침에 내가 벤의 방에 들어갔더니 깜짝 놀라면서 황급히 서랍을 닫았어. 얼굴까지 빨개지면서……."

그러자 미스 실리아는 고개를 갸웃거렸다.

"그건 좀 이상한데……. 벤은 영리한 아이라서, 만일 돈을 훔쳤다 해도 그런 곳에 감추진 않을 거야. 도니, 그만 잊어버리자. 벤을 의심할 바에는 차라리 돈을 잃어버리는 편이 낫겠다."

"대체 잃어버린 돈이 얼마나 돼?"

"11달러. 처음에는 1달러가 없어졌어. 그래서 내가 잘못 생각했나 하고 잊어버렸는데, 이번에는 10달러짜리가 없어진 거야."

"누나, 당분간은 아무 소리 하지 말고 그냥 지켜보기로 해."

도니의 말에 미스 실리아는 말없이 고개를 끄덕였다.

그 이야기는 그것으로 끝냈다.

서랍 열쇠는 도니가 맡아 가지고 있고, 미스 실리아는 계속 주의해 보기로 했다.

도니는 서랍 속에 표시를 한 돈을 얼마쯤 더 넣어 두고, 열쇠는 아무렇게나 던져 두었다. 그리고 이따금 창문으로 공을 던져 넣고는 벤에게 가져다 달라고 했다.

도니는 이제 정말 벤이 돈을 가져간 범인이라고 믿고 있었다. 하지만 벤은 자기가 의심을 받고 있다는 사실을 전혀 알아차리지 못했고, 따라서 행동이 달라지지도 않았다.

벤은 여전히 억지로라도 쾌활하게 지내려고 애썼는데, 그런 벤을 볼 때마다 미스 실리아는 공연히 의심한 것 같아 미안한 생각이 들었다.

어느 날, 미스 실리아가 도니에게 말했다.

"도니, 더 이상 없어진 돈에 대해 신경쓰지 마라. 그런 말을 입 밖에 낸 내가 경솔했던 것 같다. 그 일로 너희들의 우정에 금이 간다면 그건 바람직한 게 아니야. 차라리 그까짓 돈을 잃고 마는 게 낫겠어. 아니, 그보다 아무리 생각해도 벤이 돈을 가져간 것 같지는 않아."

"왜 그렇게 생각해?"

도니가 굳어진 표정으로 물었다.

"그 동안 벤을 유심히 살펴보고 내린 결론이야. 어제는 벤에게 '벤, 혹시 돈이 필요하지 않니? 그런 일이 있으면 주저 말고 말해. 아직 네 돈을 은행에 예금하지 않았으니까.' 하고 말했지. 그랬더니 쓸 일이 없다면서, 그냥 은행에 예금해 달라고 하더구나."

미스 실리아가 말했다.

그러나 도니는 고개를 저었다.

"그런 말을 했다고 의심이 풀리는 건 아니야. 벤은 영리하니까 자기가 의심받고 있는 것을 눈치챘을지도 모르거든. 아까 내가 그 방에 공을 던지고 찾아오게 했는데, 벤이 하는 소리가 그 방에 쥐가 있다는 거야. 나 참, 기가 막혀서!"

“아무튼 나는 더 이상 벤에 대해 너와 이런 이야기를 하는 게 싫다. 이 일은 내가 알아서 할게. 그리고 도니, 그 방에는 정말 쥐가 있어. 언젠가 벤과 고양이를 한 마리 기르는 게 어떨까 하고 이야기를 한 적도 있단다. 란다에게 오늘 쥐덫을 좀 놓으라고 해 다오.”

“알았어. 하지만 나는 아무래도 벤이 수상해. 무슨 수를 쓰든 증거를 잡아서 벤이 아무 소리도 못 하게 만들 거야.”

“그러지 말라니까! 그러다가는 네가 욕을 볼 것 같아서 하는 말이야.”

다음 날 아침, 식사를 하러 식당으로 가던 미스 실리아는 다투는 듯 떠들썩한 소리에 걸음을 멈추었다.

소리는 벤의 방 쪽에서 들려왔는데, 도니와 벤이 말다툼을 하고 있는 모양이었다.

‘제발 도니가 섣부른 말을 하지 말아야 할 텐데…….’

미스 실리아는 마음속으로 빌면서 급히 벤의 방으로 갔다.

방 문을 여니, 벤은 얼굴이 빨개진 채 벽장을 가로막고 서 있고, 도니는 그 앞에 마주 서서 소리를 지르고 있었다.

“도대체 벽장 속에 뭘 숨겨 놓은 거야?”

“뭐든 네가 알 바 아니야!”

“난 그게 뭔지 알아.”

“알고 있으면 그만이지, 왜 보자는 거야?”

“좀 보여 달라니까!”

그러면서 도니는 벤의 멱살을 잡으려고 했다.

“도니, 잠깐만 기다려!”

미스 실리아는 방 안으로 들어가 둘 사이에 끼어들었다.

그렇잖아도 자기 행동이 지나친 게 아닌가 생각하고 있던 도니는 순순히 두어 걸음 물러섰다.

"두 사람 다 너무 흥분한 것 같은데, 마음을 가라앉히고 내게 맡겨 줘. 벤, 너 벽장 속에 무엇인가 감춘 게 있니?"

벤은 분하고 약이 올라 씩씩거리며 짧게 대답했다.

"네."

"어디서 난 거니?"

미스 실리아가 조용히 물었다.

"지주 어른 댁에서 가져온 거예요."

"너, 그거 거짓말이지?"

도니가 다그쳤다.

벤은 주먹을 불끈 쥐며 눈을 흘겼지만, 미스 실리아 앞이라 가까스로 참는 것 같았다.

미스 실리아는 불안한 마음을 감추지 못하고 떨리는 목소리로 물었다.

"벤, 그 속에 든 게 돈이냐?"

"아뇨."

"그럼?"

벤은 씩씩거리며 벽장 문을 홱 열어젖히더니, 옆에 있는 의자에 털썩 주저앉았다.

그 순간, 벽장 속에서 새끼고양이 한 마리가 팔짝 뛰어내려와 '야옹!' 하고 울었다.

미스 실리아는 마음이 놓이는 한편 우습기도 해서 자기도 모르게 웃음을 터뜨렸다.

역시 잔뜩 긴장하고 있던 도니도 어이가 없는 듯 피식 웃었다.

벤은 그것 보라는 듯 고개를 치켜든 채 팔짱을 끼고 있었다. 그 옆에서 새끼고양이는 세수하듯 얼굴을 매만지고 있었다.

도니는 벤이 으스대는 것이 밉살스러워 다시금 화가 치밀었다.

“이걸로 끝난 게 아냐. 아직도 중요한 문제는 남아 있어.”

“뭐가 궁금한데? 얼마든지 대답해 줄게. 이 고양이가 어떻게 된 거냐고? 그저께 미스 실리아가 방에 쥐가 있어서 고양이라도 한 마리 있었으면 하시기에, 지주 어른 댁에 가서 얻어 온 거야.”

벤은 미스 실리아를 깜짝 놀라게 해 주려던 계획이 어긋나서 실망했다는 듯이 말했다.

“이렇게 귀여운 고양이를 구해 오다니, 정말 고맙구나. 오늘 밤 당장 내 방에 들여놓아야겠다.”

미스 실리아는 새끼고양이를 안고 쓰다듬으며, 두 소년을 어떻게 하면 화해시킬 수 있을까 열심히 궁리했다.

“벤, 넌 누나 방에 자물쇠를 채워도 들어갈 수 있지?”

도니가 빈정거리듯이 말했다.

벤은 그 말의 속뜻이 무엇인지 잘 몰랐으나, 도니의 태도가 불쾌해서 쏘아붙였다.

“앞으로는 네 공이 나뭇가지에 걸려도 안 내려 줄 거야. 그리고 고양이도 네 방의 쥐는 못 잡게 할 테다.”

“나는 쥐를 잡으려는 게 아니라 도둑을 잡으려는 거야. 그러니까 고양이는 있으나마나지.”

벤이 약을 올리자, 도니는 될 대로 되라는 식으로 마음에 있는 말을 다 해 버렸다.

벤은 비로소 도니의 말이 무엇을 뜻하는지 깨닫고 얼굴이 빨개졌다. 그러더니 미스 실리아를 한 번 돌아다본 다음, 서랍을 홱 잡아 빼면서 소리쳤다.

“자, 봐! 이게 내 전재산이야. 네가 보기에는 우습겠지만, 그래도 내게는 소중한 거야. 아빠와 산초가 남겨 준 거니까. 이 안에 훔친 것이라곤 없어……."

벤은 더 이상 말을 잇지 못했다. 목이 메었기 때문이다. 하지만 눈물을 흘리지는 않았다. 이를 악물고 울음을 참는 모습은 정말 보기에도 딱했다.

서랍 속에는 벤이 어렸을 때 아빠 어깨에 올라탄 채 찍은 사진과 산초의 낡은 목걸이가 들어 있었다. 벤은 다른 사람들이 봄으로써 신성한 물건이 더럽혀지기라도 한 듯 서랍을 탁 닫아 버렸다. 그리고 미스 실리아에게 물었다.

"미스 실리아도 도니처럼 생각하셨나요?"

"그렇게 생각하지 않으려고 했지. 벤, 하지만 돈은 없어지고, 이 집에 다른 사람이라고는 없어서……."

"그러니까 저밖에는 의심할 사람이 없었다는 말이로군요."

벤은 서글픈 표정으로 말했다.

미스 실리아와 도니는 벤의 눈망울에 어린 실망의 기색을 보고 자기들이 잘못 생각했다는 것을 분명하게 깨달았다.

"벤, 우리가 잘못했어. 그런데 11달러가 없어진 건 사실이야. 문이 잠겨 있었는데 돈이 없어졌으니, 도대체 어떻게 된 일인지……."

"문이 잠겼는데 제가 어떻게 들어가지요?"

"너는 현관 기둥을 타고 창문으로 들어가서 공을 주워 오곤 하잖아. 그러니까 너를 의심할 수밖에 없었지."

도니가 변명하듯 말했다.

벤은 비로소 자기가 의심을 받게 된 사정을 이해했다. 그렇지만 자신의 결백을 증명할 도리가 없었다. 벤은 울고 싶었다.

'내가 돈을 훔치지 않았다는 것을 무엇으로 증명하지?'

그 순간, 벤의 머릿속에 다 그만두고 떠나 버리자는 생각이 떠올랐다.
"나는 절대로 돈을 훔치지 않았어요. 그 밖에는 달리 할 말이 없어요. 하지만 믿지 않으시는 것 같으니, 서커스단으로 돌아가겠어요. 그 사람들은 친절하지는 않아도 공연히 남을 의심하거나 하진 않으니까요. 이젠 다 필요 없어요. 돈도, 이 고양이도……."
말을 마치자, 벤은 모자를 집어 들고 밖으로 나가려고 했다.
도니는 당황해서 벤의 앞을 가로막았다.
"벤, 그러지 마. 내가 너무 지나쳤어. 진심으로 사과할게."
도니 역시 벤 못지않게 가슴이 답답했다.
"그래, 벤. 너무 화내지 마라. 일이 이렇게 되다니, 나도 가슴이 아프구나. 네가 결백하다는 건 나도 알아. 어찌 된 일인지 확실해질 때까지 다시 한 번 찾아보면 안 되겠니? 제발 부탁이다."
미스 실리아가 달래듯이 말하자, 벤의 마음도 다소 누그러지는 것 같았다.
미스 실리아는 어떻게든 벤이 결백하다는 것을 증명해 주고 싶었다.
"벤. 우리 다 같이 한번 찾아보자."
사실 그 책상 서랍은 몇 번이나 뒤져 보았으므로, 다시 보아야 소용없을 것이다. 그러나 미스 실리아는 벤의 마음을 풀어 주기 위해 다시 한 번 찾아보기로 마음먹었던 것이다.
그런 문제를 섣불리 도니와 상의한 것이 잘못이라고 후회했지만, 이미 엎질러진 물이다. 이젠 크게 금간 두 소년의 우정을 회복시키는 일이 급했다.
"자, 빨리 가자."
도니로부터 열쇠를 받아 든 미스 실리아는 앞장 서서 옆방으로 갔다.
"여기가 바로 그 문제의 방이야. 저 오른쪽 서랍이 돈을 넣어 두었던 곳이고, 아래쪽 서랍에는 책이 들어 있지. 자, 윗서랍을 빼고……. 앗!"

서랍을 하나하나 열어 가며 이야기를 하던 미스 실리아가 갑자기 비명을 질렀다. 큰 쥐 한 마리가 쥐덫에 걸려 있었던 것이다.

도니는 얼른 쥐덫을 밖으로 집어던진 다음, 서랍을 힘껏 잡아당겼다. 그런데 너무 힘을 주는 바람에 아예 서랍이 쑥 빠져 나와 방바닥에 떨어졌다.

"에이, 속에 있던 게 엉망으로 흐트러져 버렸네!"

도니가 낭패한 듯 소리치자, 미스 실리아는 무릎을 꿇고 재빨리 흩어진 종이를 주워 모았다. 그 중에는 전에 도니가 표를 해 둔 돈도 몇 장 섞여 있었다.

"괜찮아. 주우면 되니까……. 자, 벤. 서랍 안쪽에 종이가 낄 만한 틈이 있는지 한번 들여다봐라."

벤은 미스 실리아가 시키는 대로 서랍이 꽂혀 있던 안쪽을 들여다보았다. 먼지 속에 무엇인가 있었다.

"뭔가 빨간 게 보이는데요."

그러면서 벤이 누더기 뭉치 같은 것을 꺼내자, 미스 실리아는 깜짝 놀랐다.

"아, 이건 내 펜 닦개야!"

"뭐가 이렇게 따뜻하고 말랑말랑하지?"

그것을 가만가만 뒤적거리면서 혼잣말을 하던 벤이 갑자기 소리를 질렀다.

"앗, 새끼쥐들이다!"

그 순간, 벤은 슬픔도 억울함도 다 잊어버렸다.

"뭐, 새끼쥐? 어디, 어디 좀 봐!"

미스 실리아와 도니도 놀라서 들여다보았다.

어미를 잃은 새끼쥐들은 찍찍거리며 서로 누더기 속으로 파고들려고 했다.

"드디어 범인을 잡았다! 이 종잇조각 좀 봐! 이게 바로 잃어버렸던 돈 같아."

미스 실리아가 소리치며 종이 끝을 살그머니 잡아당겼다. 그 바람에 새끼쥐들은 보금자리에서 쫓겨난 채 방바닥으로 굴러떨어졌다. 새끼쥐들이 있던 자리에는 구겨지고 먼지투성이가 된 종잇조각들이 흩어져 있었는데, 희미하게 1과 0이라는 숫자가 보였다. 분명히 10달러짜리 지폐였다. 여러 조각으로 찢어진 다른 종이도 돈처럼 보였다.

"이제 아셨죠? 나는 도둑이 아니에요."

구겨진 종잇조각을 펴서 책상 위에 늘어놓으며 벤이 시무룩하게 말했다.

"그야 물론이지, 벤. 도둑이 아니고말고. 용서해 다오. 너를 의심한 것은 큰 잘못이었어. 좀 더 깊이 생각했어야 했는데……. 정말 뭐라고 사과를 해야 좋을지 모르겠구나."

"벤, 미안하다. 나를 용서해 줘. 앞으로는 어떤 일이 있어도 절대로 너를 의심하지 않을게. 맹세라도 할 수 있어."

미스 실리아와 도니 남매가 진심으로 사과를 하며 손을 내밀었다.

그러자 벤도 마음이 풀려 두 사람의 손을 잡았다.

"너무 기분 나쁘게 생각하지 마, 벤. 온통 난리를 피우고 나서 잡은 게 겨우 새끼쥐들이었다니, 우린 정말 싱거운 짓을 한 셈이군. 하하하!"

도니가 웃으며 말했다.

벤은 아직 마음 한구석에 찜찜한 기분이 남아 있었으나, 그렇게 말하는 데는 어쩔 수가 없었다.

"그러고 보니 새끼쥐들은 꽤 호화로운 집에서 살았군."

벤은 새끼쥐들이 다 어디로 갔나 살펴보았다.

그런데 새끼쥐들은 눈에 띄지 않았다. 잽싸게 달려온 고양이가 한 마리도 남기지 않고 다 밖으로 물어 날랐던 것이다.

"쯧쯧, 불쌍한 놈들……. 자, 이제 우리도 모든 것을 잊고 아침 식사나 하러 가자."

돌아온 산초

열두 살짜리 소년 벤. 그에게 연달아 닥친 사건은 참으로 견디기 힘든 것이었다.

엄마의 포근한 사랑을 모른 채 어린 시절을 보내고, 힘든 서커스단 생활을 벗어나자마자 아빠마저 잃었다.

세상에 의지할 곳 없는 외로운 처지였으나, 모스 부인 덕택에 이 마을에 머무르면서 일도 하고 돈도 벌며 안정된 생활을 하게 되었다. 그러다가 형제와 같은 산초를 잃어버렸다.

미스 실리아와 모스 부인, 그리고 도니, 뱁, 베티도 모두 친절하게 대해 준다. 그러나 그들이 아무리 잘해 준다 해도 친부모 형제와 같을 수는 없다.

그런데다 이번에 잠시나마 미스 실리아와 도니로부터 도둑으로 의심을 받고 보니, 벤은 세상이 싫어졌다.

다른 사람들은 부모의 사랑을 받으며 사는 것을 지극히 당연한 일로 알고 있는데, 벤은 그 평범한 행복을 모르고 살았다.

미스 실리아와 도니도 부모가 없다. 그러나 둘은 어른이나 다름없고,

또 재산이 많으니 사는 데 별 어려움이 없을 것이다.

그리고 뱁과 베티는 아빠가 없지만, 모스 부인 같은 훌륭한 엄마가 있으니 벤과는 비교할 수가 없다.

벤은 때때로 하느님이 매우 불공평하고 심술궂은 분이라는 생각이 들었다. 사실 그렇게 생각하는 것도 무리가 아니었다. 벤은 아직 어리기 때문에 하느님을 올바르게 이해할 수가 없었던 것이다. 하기야 열두 살밖에 안 된 소년이 슬픔과 고통 같은 시련이 사람을 단련시켜 순금처럼 만든다는 것을 어떻게 이해할 수 있겠는가.

그 무렵, 벤은 아침에 눈을 뜰 때마다 오늘은 무슨 일이 있어도 떠나야겠다고 마음먹곤 했다. 그러나 아빠와 함께 찍은 사진과 산초의 낡은 목걸이를 주머니에 넣고 벌떡 일어섰다가도 막상 걸음을 옮기려고 하면 망설여졌다. 그 동안 주위 사람들이 베풀어 준 친절을 생각하면 쉽게 떠날 수가 없었던 것이다.

굶주림과 추위로 죽을 뻔한 자기를 따뜻하게 돌봐 준 모스 부인을 비롯하여, 뱁과 베티, 그리고 미스 실리아의 친절도 잊을 수가 없었다.

'만일 내가 지금 말없이 자취를 감춘다면, 모두들 얼마나 섭섭해할까? 아니, 은혜를 모르는 녀석이라고 괘씸하게 여길 거야.'

벤이 이렇게 망설이는 동안 시간은 계속 흘러갔다. 벤은 언젠가 모리스 씨네 목장 일을 집어치우고 달아나려고 마음먹었다가 미스 실리아를 만나면서 그 생각을 바꾸었던 것처럼, 이번에도 참아 보자고 다짐했다.

이렇게 도망치지 않고 괴로움을 참고 견딘 덕분에, 벤은 훗날 이루 말할 수 없이 큰 것을 얻게 되었다. 만일 벤이 달아났더라면 그런 큰 행복은 맛보지 못했을 것이다.

한편, 도니는 벤을 의심하여 경솔하게 판단하고 행동했던 것을 깊이 후회했다. 그리고 일단 잘못을 저지르면 그것을 돌이키기가 참으로 힘들다는 것을 뼈저리게 느꼈다. 이제 도니는 예전처럼 생각나는 대로 말을 하거나, 함부로 판단을 내리는 일이 드물어졌다. 말 한 마디도 듣는 사람의 기분을 배려해서 조심스럽게 했다.

미스 실리아는 그와 같은 도니의 변화를 대견하고 흐뭇하게 생각했다. 그러나 벤에 대해서는 걱정이 되었다.

'어떻게 해야 상처받은 벤의 마음을 달래 줄 수 있을까?'

미스 실리아는 마음속으로 궁리를 했다.

"벤에게 사과하는 뜻으로 선물을 하고 싶은데……."

어느 날, 점심 식사를 하는 자리에서 도니가 불쑥 말했다.

그러고 보니 도니도 미스 실리아와 같은 생각을 하고 있었던 모양이다.

"그래야지. 그런데 특별히 생각해 둔 것이라도 있니?"

미스 실리아가 물었다.

"글쎄……. 며칠 전 읍에 갔을 때 보석상에서 멋진 커프스 단추를 봐 두었어. 겉에 은을 입혔는데, 머리는 개 모양이고 눈에는 노란 보석을 박았어. 벤의 마음에 들 것 같아."

미스 실리아는 고개를 끄덕이며 미소를 지었다.

그러면서 그 선물이 벤의 상처입은 마음을 치료하는 데 도움이 되기를 진심으로 빌었다.

"그래, 그럼 너는 그걸 선물해. 나는 언젠가 마구 상점에서 본 채찍을 선물할 테니까. 벤이 갖고 싶어하는 눈으로 쳐다보았거든."

"그것도 괜찮겠네. 벤은 최고의 마부가 되는 게 소원이니까. 어쩌면 챙 달린 모자나 장화를 사 주는 게 더 좋을지도 모르겠군."

"벤에게는 지금 입고 있는 파란 웃옷과 밀짚모자가 더 잘 어울려. 그리고 여기 사람들은 그런 식으로 갖춰 입고 거들먹거리는 걸 안 좋게 생각할 거야. 벤은 그렇게 안 해도 일류 마부인걸."

"누나가 벤에게 직접 그런 말을 해 줘. 벤은 누나의 칭찬 한 마디를 다른 사람의 열 마디 칭찬보다 좋아하니까."

"그래야겠구나. 그리고 교과서를 한 질 사 줘야겠어. 개학을 하면 학교에 보내야지. 벤에게 학교에 보내 주는 것만큼 좋은 선물은 없을 거야. 너도 도울 방법을 생각해 봐. 뱁과 베티는 얼마 전부터 시작했지. 벤에게 교과서를 빌려 주기도 하고, 공부를 가르쳐 주기도 하면서……. 벤도 서서히 공부에 재미를 붙이고 있는 모양이더구나. 이런 때 우리가 도와주면 좋지 않겠니?"

"그거 괜찮은 생각인데! 그런데 아마 벤은 내가 가르쳐 주는 걸 좋아하지 않을걸. 내겐 말도 제대로 하지 않는데."

"곧 나아지겠지. 꾹 참고 노력하다 보면, 벤도 곧 너를 형처럼 생각하고 따를 거야."

"오늘 내가 읍내로 커프스 단추와 교과서를 사러 갈까?"

"그러렴. 읍내에서 너무 오랫동안 놀지만 않는다면……. 그리고 이왕 나간 길에 충치도 치료하고 와. 여기 교과서 목록이 있다."

교과서 목록을 받아 들면서 도니는 미스 실리아가 놀랄 만큼 날카롭게 휘파람을 불었다. 충치를 치료하고 오라는 말이 마음에 걸렸던 것이다.

"이가 더 썩기 전에 치료해야지. 아직은 그렇게 아프지 않을 거야. 그럴 때 고쳐야 고생을 덜 하지. 심심한데 말상대라도 하게 뱁과 베티도 데리고 가려무나."

미스 실리아가 웃으며 말했다.

"필요없어! 나 혼자 가도 괜찮아."

도니는 어깨를 으쓱하며 말했다.

그러나 잠시 생각하더니 마음이 바뀐 모양이었다.

"이것저것 많이 사야 하는데, 베티라도 데리고 갈까? 그 애는 뱁보다는 얌전하고 말을 잘 들으니까."

"그래, 그렇게 하려무나. 모스 부인에게 말씀드리고 데려가도록 해. 마차에 차양이 있으니 별로 덥지는 않을 거야."

읍내까지 함께 가자는 도니의 말에 베티는 좋아서 어쩔 줄 몰라했다.

뱁과 베티 자매는 도니를 왕자처럼 생각하고 있었다. 따라서 베티는 몇 킬로미터나 되는 마차 여행에 초대를 받았다는 것을 큰 영광으로 알았다.

뱁은 자기가 마차 여행에 초대받지 못한 것을 섭섭하기보다는 당연한 일로 생각했다. 산초를 잃어버린 뒤로 완전히 기가 죽어 있었던 것이다.

벤은 뱁을 전혀 아는 체하지 않았다. 그것이 뱁으로서는 참으로 괴로운 일이었다. 뱁은 벤을 누구보다도 좋아하고 존경했으며, 벤이야말로 뱁의 용기를 알아주는 오직 한 사람이었기 때문이다.

벤의 마음을 돌릴 수만 있다면, 뱁은 무슨 일이든 할 생각이었다. 지붕에서 뛰어내리기도 하고, 당나귀 등에 똑바로 서서 달리다가 떨어지는 바람에 하마터면 목을 부러뜨릴 뻔하기도 했다. 하지만 벤은 칭찬을 하지도 않고, 그렇다고 별다른 관심을 보이지도 않은 채 잠자코 바라보기만 했다.

이윽고 뱁은 예전처럼 벤과 친하게 지내기 위해서는 산초를 되찾아오는 길밖에 없다는 사실을 깨달았다. 그러나 그것은 뱁의 힘으로는 불가능한 일이었다.

"베티, 만약 산초만 돌아온다면, 나는 높은 데서 떨어져 온몸이 가루가 되어도 괜찮을 것 같아."

뱁은 동생 베티에게 안타까운 마음을 호소했다.

마음씨 고운 베티는 부드러운 말로 뱁을 위로했다.
"언니, 너무 걱정 마. 언젠가 다녀갔던 이탈리아 사람이 산초를 찾아 줄지도 몰라."
잠시 후, 베티는 뱁에게 키스를 하고 마차에 올랐다.
"내게 5센트가 있으니까, 올 때 오렌지를 사다 줄게."
"레몬이라도 괜찮아. 설탕을 뿌려서 먹으면 맛있거든."
뱁은 지금 자신을 괴롭히는 마음의 고통이 마치 레몬처럼 떫고 시다는 생각을 하였다.
도니는 마차 위에서 베티의 손목을 잡아 끌어올렸다. 풀을 세게 먹인 베티의 흰옷에서는 마치 종이처럼 버석버석 소리가 났다.
마차에 올라 자리를 잡고 앉은 베티를 바라보면서 모스 부인이 중얼거렸다.
"내 딸이지만 정말 예쁘네!"
정말 베티는 무릎에 안고 있는 인형 벨린다처럼 깜찍하고 예뻤다.
마차가 읍내에 도착하자, 도니는 먼저 이를 치료하러 치과로 갔다. 그런데 기다리는 환자가 너무 많았다.
"다른 물건들을 사고 다시 와야겠네."
치과를 나온 도니와 베티는 마구를 파는 가게로 갔다. 도니는 거기서 벤이 탐내던 작은 가죽 채찍을 샀다. 그런 다음, 과자점으로 가서 뱁과 베티를 위해 사탕을 샀다.
커프스 단추를 사려고 보석상에 들어갔을 때, 베티는 그 화려함에 눈을 동그랗게 뜨고 사방을 두리번거렸다. 〈아라비안 나이트〉에 나오는 알라딘의 궁전도 이렇게 화려하지는 않을 것이란 생각이 들었다.
맨 마지막으로 서점에 갔다. 도니가 벤에게 줄 교과서를 고르고 있는 사이에 베티는 그림책에 정신이 팔려 있었다. 지갑에 돈이 남아 있는 것을 확인한 도니는 그 그림책을 사서 베티에게 선물했다.

그 뜻밖의 선물에, 베티는 너무 좋아서 얼굴이 빨개졌다. 그리고 그림책을 가슴에 꼭 안았다.

"다른 볼일은 다 끝나고, 이제 가장 골치 아픈 일만 남았구나."

서점을 나와 치과로 가면서 도니가 중얼거렸다.

"내가 따라 들어가서 머리를 잡아 줄 테니 너무 겁내지 말아요."

베티가 말했으나, 도니는 그냥 멋쩍게 웃을 뿐이었다.

결국 베티는 도니가 치료를 받고 나올 때까지 마차 안에서 책을 읽으며 기다리기로 했다. 얼마나 지났을까, 갑자기 아이들이 떠드는 소리가 들려왔다. 베티는 책을 읽다 말고 소리나는 쪽으로 가 보았다. 길가의 울타리 앞에 아이들이 모여 안을 들여다보고 있었다.

베티도 발돋움을 하고 울타리 안을 넘겨다보며 옆에 있는 여자아이에게 까닭을 물었다.

"별거 아냐. 저 안에 개가 한 마리 있어."

여자아이는 이렇게 말하고 실망했다는 듯 돌아섰다.

"저건 보통 개가 아니라 미친 개야. 사람들이 쏘아 죽여야 된다면서 총을 가지러 갔어."

한 사내아이가 흥분한 듯 자세히 말해 주었다.

"아냐, 저건 미친 개가 아니야! 미친 개는 물을 마시지 않는다고 했거든."

다른 아이가 울타리에 매달린 채 고함치듯이 말했다.

그러자 다른 아이도 지지 않고 소리쳤다.

"하지만 목걸이가 없잖아! 아마 쏘아 죽일 거야."

'대체 어떤 개지?'

베티는 제각기 떠들어 대는 아이들을 헤치고 앞으로 나아가 살펴보았다.

울타리 안쪽 풀밭에 털북숭이 개 한 마리가 숨을 헐떡이고 있었다. 쫓겨다니다가 기운이 다 빠진 것 같았다.

베티는 그 개를 어디선가 본 듯한 느낌이 들었다.

"그러고 보니 눈이 산초를 닮았네."

베티가 무심코 중얼거리자, 그 털북숭이 개는 귀를 쫑긋했다.

"어, 마치 내 말을 알아듣는 것처럼 귀를 쫑긋거리네. 하지만 설마 산초는 아닐 거야. 산초는 저 개보다 훨씬 귀엽게 생겼는데……."

그 개는 베티의 입에서 산초라는 말이 나올 때마다 귀를 쫑긋거리더니, 마침내 벌떡 일어섰다. 그리고 베티를 향해서 앞발을 들고 짧은 꼬리를 마구 흔들었다.

"어머! 하는 짓이 어쩌면 저렇게 산초와 똑같을까?"

베티가 놀라서 소리치자, 개는 울타리께로 뛰어왔다. 그리고는 크게 짖어 대며 베티에게 오려고 끙끙댔다.

베티는 겁이 나서 뒤로 몇 발짝 물러섰다. 하지만 그 털북숭이 개의 짖는 소리나 하는 짓이 영락없는 산초였다.

"너 산초 맞니? 비록 생긴 건 좀 달라졌지만 아무래도 산초 같아!"

"멍멍! 멍! 멍멍!"

베티의 말에 그 개는 노란 눈을 반짝이면서 짧은 꼬리뿐 아니라 온몸을 마구 흔들어 댔다. 그것은 무엇인가 못 견디게 좋을 때 산초가 보이던 몸짓이었다.

그 순간, 베티의 머릿속을 번개처럼 스쳐 가는 생각이 있었다. 손풍금을 켜며 원숭이를 데리고 다니던 그 이탈리아 사람이 뉴욕에서 산초 같은 개를 보았는데, 꼬리는 짧고 털이 까맣더라고 했던 말이 생각난 것이다. 또한 벤은 서커스단 사람들은 개의 털을 물들이고 꼬리를 자르는

것쯤은 아무렇지도 않게 여긴다고 말했었다.

"맞았어! 분명히 산초야! 아, 벤이 얼마나 좋아할까……. 이젠 뱁도 기를 펼 수 있을 거야. 어서 산초를 집으로 데려가야지. 산초, 이리 온!"

베티는 아이들이 놀라서 소리치는 것도 못 들은 체하고 울타리를 넘어 산초에게로 달려갔다.

"산초! 너, 정말 산초지? 날 알아보겠니?"

산초가 베티를 모를 리 없었다. 산초가 베티에게 쏜살같이 달려들었다. 그리고 진흙투성이가 된 자기를 알아본 베티에게 어떻게 고마움을 표시해야 할지 모르겠다는 듯 펄쩍펄쩍 뛰었다. 그 바람에 베티의 얼굴과 손은 말할 것도 없고, 새로 입고 나온 새하얀 나들이옷도 온통 진흙범벅이 되었다. 하지만 그런 것은 아무 문제도 되지 않았다.

그 때, 도니가 아이들을 헤치고 나타났다. 미친개가 나타났다는 말을 듣고 베티가 걱정되어 달려온 것이다. 그런데 베티가 바로 그 미쳤다는 개를 껴안고 있는 것을 보고 도니는 기절할 듯이 놀랐다.

"베티, 너 큰일나려고! 거기서 뭘 하고 있는 거냐? 그건 미친개야! 물리기 전에 어서 나와!"

도니가 소리쳤다.

"도니, 이건 미친개가 아니라 산초예요, 산초! 어서 우리 산초를 마차로 데려가 줘요!"

미친개에 물리면 어떻게 되는지 잘 알고 있는 도니는 발을 동동 굴렀다.

"그 개가 산초라고? 베티, 너 정신 나갔니? 그 개를 그냥 놔 두고 얼른 이리 나와! 내 말 들어! 어서!"

귀에 익은 또 다른 목소리를 듣더니, 산초는 이번에는 도니에게로 달려갔다. 그러나 도니는 산초를 알아보지 못했다.

"아니, 이 개가 왜 이래! 베티, 뭘 하고 있어! 빨리 나오라니까!"

베티는 어떻게든 도니가 산초를 알아보게 하고 싶었다. 그래서 산초를 향해 소리쳤다.

"자, 산초! 빨리 재주를 부려 봐! 네가 할 수 있는 걸 다 보여 줘!"

사실 산초는 먼 길을 왔으므로 발 하나 까딱할 수 없이 지쳐 있었다. 그러나 베티가 시키는 대로 있는 힘을 다해서 재주를 부렸다. 마지막 순서는 꼬리를 물고 왈츠를 추는 것이었는데, 그것까지는 할 수가 없었다. 꼬리가 이미 잘려 나가고 없었기 때문이다. 그것을 깨달은 산초는 민망스럽다는 듯 두 발로 얼굴을 가렸다.

도니는 그 모습에 가슴이 뭉클했다. 그 개는 분명 산초였던 것이다.

도니는 울타리를 넘어 들어와서 벤이 하는 것처럼 휘파람으로 산초를 불렀다. 그러자 산초는 쏜살같이 도니에게로 달려들었다.

도니는 산초를 꼭 껴안았다. 그리고는 몰려드는 아이들을 한쪽 손으로 밀어 내면서 산초를 마차에 태웠다.

그 때까지도 베티의 가슴은 심하게 두근거리고 있었다. 모든 일이 꿈만 같아서 몇 번이나 산초를 껴안았다. 적에게 이기고, 또 금은보화를 산더미처럼 빼앗아 가지고 돌아오는 장군이라 해도 이 날의 베티만큼 기쁘지는 않았을 것이다.

도니가 사 준 그림책은 발 밑에 동댕이쳐졌고, 베티가 사랑하는 인형 벨린다는 한쪽 구석에 처박힌 채로 뒹굴었다.

'이 사실을 알면 벤은 얼마나 좋아할까? 그리고 뱁도 이제는 기운을 차릴 수 있을 거야. 또 미스 실리아나 엄마는 어떤 표정을 지을까?'

베티의 머릿속은 그런 여러 가지 생각으로 터져 나갈 것 같았다.

마차가 집 가까이에 이르렀을 때, 도니가 말했다.

"베티, 산초를 너희 집에 감추어 두었다가 벤을 놀라게 해 주면 어떻겠니?"

"산초가 벤을 보고도 가만히 있을까요?"

벤의 놀랄 얼굴을 생각하니, 베티의 가슴은 더욱 두근거렸다.

그것은 참으로 멋진 계획이었다. 하지만 두 사람 다 산초의 후각이 얼마나 뛰어난지 깜빡 잊고 있었다.

마차가 뒷문 앞에 섰을 때, 안쪽에서 벤의 모습이 어른거렸다. 그러자 벤의 냄새를 맡은 산초는 미처 두 사람이 말릴 사이도 없이 밖으로 달려나갔다. 벤과 산초는 이내 한덩어리가 되어 땅바닥에 뒹굴며 기쁨에 넘쳐 소리를 질러 댔다.

그 모습을 보며 도니와 베티는 자신들도 모르는 사이에 눈물이 핑 돌았다. 정말 아름다운 모습이었다.

부엌에서 밀가루 반죽을 하던 모스 부인도 괴상한 비명 소리에 이끌려 가루투성이의 손을 흔들며 뛰어나왔다.

"아니, 무슨 일이야? 누가 다치기라도 한 거냐?"

뱁도 놀라서 달려나왔다.

"벤하고 뒹구는 게 새끼곰 아냐?"

"새끼곰이 아니라 산초야, 산초! 베티가 찾아 냈어!"

도니가 소리치며 모자를 높이 집어던졌다.

"뱁, 산초가 돌아왔어! 산초가 돌아왔다고!"

베티도 치맛자락을 치켜들고 춤을 추며 소리를 질렀다.

"저게 산초라니, 도대체 어떻게 된 거야?"

뱁이 믿어지지 않는다는 듯 말했다.

그 때, 웬만큼 회포를 풀었는지 산초와 벤이 일어났다. 벤의 얼굴은 눈물과 산초의 침으로 엉망이 되었다.

도니와 베티는 벤에게 번갈아 가며 산초를 찾게 된 일을 이야기해 주었다.

"이렇게 변한 산초를 금세 알아보다니, 베티는 정말 대단해."

도니가 베티를 칭찬했다.

흙투성이가 된 벤은 비로소 정신이 든 듯 소리쳤다.

"산초를 누가 이 꼴로 만들었지? 꼬리를 자른 놈이 도대체 누구야?"

"아마 산초를 훔쳐 간 자가 그랬을 거야."

"쯧쯧, 가엾게도……."

모스 부인도 혀를 찼다.

어찌 되었든 산초가 돌아온 것은 틀림없는 사실이다. 모두들 차츰 흥분을 가라앉혔다.

그 때 산초가 앞으로 나오더니, 한 사람 한 사람에게 다가가 잘려 나가 짧아진 꼬리를 흔들며 반갑다는 듯이 인사를 했다. 모두들 웃으며 박수를 쳐 주었다.

도니는 벤에게 산초를 발견하게 된 경위를 처음부터 끝까지 다시 한 번 자세히 들려주었다.

도니의 이야기가 끝나자, 벤은 베티에게 다가갔다. 그리고 한 손으로는 베티의 손을 잡고, 다른 손으로는 산초의 머리를 쓰다듬으며 엄숙한 표정으로 말했다.

"베티 모스, 나는 내 생명이 다하는 날까지 결코 네 은혜를 잊지 않겠다. 오늘부터 산초는 네 것이기도 해. 만일 내게 무슨 일이 있으면, 혹 죽기라도 하면 산초의 주인은 너야."

그런 다음, 벤은 베티의 통통한 뺨에 키스를 했다.

베티는 감격해서 눈물을 글썽였다. 그 때 산초가 베티의 손을 핥았다. 그 바람에 베티의 눈물은 밝은 웃음으로 바뀌었다.

"나도 앞으로는 미친개와 놀아야지. 그러면 다들 칭찬해 주겠지?"
밥이 옆에서 종알거렸다.
자기가 산초를 찾아서 벤으로부터 용서를 받아야겠다는 기대가 물거품이 되어 버리는 바람에 실망했던 것이다.
그 소리를 듣고 벤이 웃으며 밥을 돌아다보며 말했다.
"밥, 산초가 돌아왔으니, 너도 이제 마음 편하게 지내. 너를 용서할게. 그리고 네가 원한다면 언제든지 산초를 데리고 놀아."
모든 것이 잘되고 보니, 도니는 어서 이 기쁜 소식을 누나에게 전하고 싶었다.
"그 전에 산초를 좀 씻겨 주어야겠지? 정말 너무 더러워졌어. 하지만 몇 번 목욕을 시키면 차츰 물들인 것도 빠질 테고, 그러다 보면 다시 전과 같이 귀여운 산초가 되겠지. 자, 모두 함께 산초를 씻기자!"

진정한 승리

산초가 돌아온 이후로 집안 분위기는 한층 좋아졌다.
"벤도 이젠 기운을 내겠구나."
미스 실리아가 산초의 등을 정답게 쓰다듬으며 말했다.
산초가 돌아왔다는 소식을 듣고 동네 아이들이 몰려들었다. 그만큼 산초는 인기가 있었다.
산초는 마구간 앞에 점잖게 앉아서 손님들을 맞이했다. 도니는 그 곁에 앉아 산초를 발견했던 일을 되풀이해서 자랑하고 있었다.
정작 주인공인 산초는 지난 두 달 동안 무슨 일이 있었는지 이야기할 수가 없었다. 만일 산초가 말을 할 줄 알았다면, 주인을 찾아 먼 길을 헤매었던 일을 흥미진진하게 풀어 놓았을 것이다. 아마 처음부터 끝까지 아슬아슬한 모험의 연속이었을 것이다. 하지만 사람들은 전에 이탈리아 사람이 뉴욕에서 보았다던 서커스단에서의 이야기만으로 산초가 겪은 일을 어렴풋이 짐작할 수 있을 뿐이었다.

산초는 잘린 꼬리를 제외하고는 거의 옛 모습을 되찾았다. 하지만 그 성질은 예전과 많이 달라졌다. 전에는 덮어놓고 사람을 따랐지만, 이제는 낯선 사람을 경계했다. 특히 수상하게 생각되는 사람이 눈에 띄면, 옛 기억이 되살아나는 듯 무섭게 짖어 댔다.

베티는 그런 산초가 불쌍해서 더욱 신경을 써서 돌봐 주었다. 산초도 베티가 자기 은인이라는 것을 잘 알고 있는 듯 항상 그 뒤를 졸졸 따라다녔다. 둘은 이제 떨어질 수 없이 다정한 사이가 되었다.

벤은 산초에게 '베티(BETTY)'라는 글자를 골라 내는 재주를 가르치느라 애를 썼다. 이 새로운 재주는 베티를 더할 수 없이 기쁘게 해 주었다. 아무리 보고 또 보아도 싫증이 나지 않았다. 산초는 베티라는 글자를 골라 내면, 베티 앞으로 뛰어가서 '당신은 저의 은인입니다!'라고 말하듯이 빤히 쳐다보았다. 그럴 때 산초의 눈길은 전과 조금도 다름이 없이 귀여웠다.

미스 실리아의 다친 팔도 거의 다 나았다. 오후가 되면, 미스 실리아는 아이들을 모아 놓고 책을 읽어 주었다. 그 시간은 아이들뿐 아니라 미스 실리아에게도 유익한 시간이었다.

미스 실리아는 자기가 어린 시절 즐겨 읽던 책을 도서실에서 찾아 내어 아이들에게 읽어 주었다. 아이들이 좋아하는 것을 보고, 미스 실리아는 시골에 사는 아이들이 얼마나 좋은 책을 읽고 싶어하는지 깨달았다. 그래서 그녀는 동화, 기행문, 위인 전기, 과학책 따위의 많은 책을 모아서 읍내에 있는 조그만 도서관에 기증했다. 그 소식을 들은 동네 아이들은 무척 기뻐했다. 방학 숙제를 마친 아이들은 다투어 도서관에 가서 책을 빌려 갔다.

이런 소문이 퍼지자, 다른 사람들도 집에 있는 책을 도서관에 기증했다.

도니는 이제 휠 체어를 타고 다니지 않아도 될 정도로 몸이 튼튼해졌다. 그러자 신경질을 부리는 일도 드물어지고, 뱁과 베티, 벤과 어울려 즐겁게 놀았다.

차츰 날씨가 더워졌다. 동네 아이들 사이에 크게 유행하던 야구는 흐지부지되고 말았다.

도니는 심심해하는 아이들을 위해 새로운 놀이를 개발해 냈다. 즉, 다락방에 있는 낡은 상자 속에서 활과 화살을 꺼내다가 나무 그늘에 과녁을 만들었다. 그리고는 먼저 벤에게 활쏘기를 가르쳐 주었다.

이 새로운 놀이는 여름철 시원한 나무 그늘에서 하기에 적당해서 곧 아이들 사이에 퍼져 나갔다. 동네 아이들은 재빨리 활과 화살을 만든 다음, 활쏘기의 명수인 빌헬름 텔의 이름을 따서 '빌헬름 텔 클럽'을 조직했다.

베티와 달리 남자아이처럼 활달한 성격의 뱁은 활쏘기를 하는 데 한몫 끼고 싶었다.

뱁은 산초가 돌아온 뒤로 벤과 다시 전처럼 사이좋게 지내게 된 것이 무척 기뻤다. 그러나 자기가 산초를 직접 찾지 못한 것이 못내 아쉬운 데다가, 만나는 사람마다 베티를 칭찬하는 것을 보면 부럽기 짝이 없었다. 그래서 자기도 베티처럼 얌전해지려고 애썼다. 그런 상황에서 도니나 벤에게 자기도 '빌헬름 텔 클럽'에 끼워 달라는 말은 차마 할 수가 없었다.

책읽기가 끝나면 남자아이들은 활을 쏘러 나갔다. 그럴 때마다 뱁은 바느질하던 손을 멈추고 부러운 눈으로 그들을 바라보았다.

밥의 그런 마음을 눈치챈 미스 실리아가 위로하듯 말했다.

"전과는 달리 요즘은 활쏘기가 전쟁의 수단이 아니라 스포츠라고 할 수 있지. 따라서 여자가 활을 쏘는 게 이상할 것 없어. 특히 영국에서는 활쏘기의 인기가 대단하다고 하더구나. 빅토리아 여왕님도 활쏘기를 하셨다는 소리를 들은 적이 있어."

밥은 그 말에 마음이 놓이는 듯, 금방 신이 나서 말했다.

"인디언들도 활로 싸운다죠? 나는 돌로 만든 화살촉을 하나 가지고 있어요. 강가에서 주운 거예요."

밥은 영국 여왕보다도 활로 싸우는 인디언이 더 마음에 드는 것 같았다.

"자, 그럼 너희들이 일을 하는 동안 인디언 이야기나 해 줄까?"

미스 실리아가 쿠션에 비스듬히 기대며 말했다.

인디언 이야기라는 말에 귀가 솔깃해진 밥과 베티는 바늘 든 손을 부지런히 놀리기 시작했다.

어느덧 긴 여름 방학이 끝나고 새 학기가 시작되었다.

벤은 책을 옆구리에 끼고 학교 가는 아이들 틈에 끼여 있었다. 처음에 벤은 부끄러웠다. 열세 살이 되었는데 이제 겨우 1학년으로 입학하게 되었으니 그럴 만도 했다.

미스 실리아는 선생님에게 벤에 관해 모두 이야기한 다음, 특별히 관심을 가져 달라고 부탁했다.

선생님은 매우 친절한 분이었다.

"제가 잘 가르칠 테니, 아무 염려 마세요. 제게도 벤만한 동생이 있거든요."

벤은 그 동안 밥과 도니에게 배운 덕분에 읽기와 쓰기는 쉽게 따라갈 수 있었다. 하지만 수학과 지리는 생각대로 잘 안 되었다. 자기보다 몇 살이나 어린 아이들 틈에 끼여 더하기 빼기를 배운다는 것은 참으로 자존심 상하는 일이었다.

벤은 나이에 비해 몸집이 작은 편이었다. 따라서 작은 아이들과 함께 있어도 보기 싫을 정도로 눈에 띄지는 않았다. 그러나 어쩌다가 아이들이 이상한 눈초리로 쳐다보거나, 간혹 엉뚱한 실수라도 해서 웃음거리가 될 때는 공부고 뭐고 다 집어치우고 싶었다.

그래도 벤은 열심히 공부했으므로, 곧 베티를 앞지르기 시작했다. 뱁에 비해 베티는 성적이 좀 떨어지는 편이었던 것이다.

벤은 서커스에서 새로운 재주를 익힐 때 몇 차례나 끈기 있게 되풀이하던 일을 생각했다. 그리고 그 때와 같은 끈기를 가지고 공부에 몰두했다. 서커스단에서 받은 훈련이 벤의 육체를 단련시켰다면, 학교에서 하는 공부는 그의 정신을 단련시켰다.

선생님의 격려와 자신의 노력 덕분에 수업 시간에 벤이 얼굴을 붉히는 일은 차츰 드물어졌다. 그러자 아이들도 벤에 대해 존경하는 마음을 가졌고, 간혹 실수를 하더라도 눈감아 주곤 했다.

지리 시간에는 중국이 아프리카에 있다는 식으로 엉뚱한 대답을 해서 교실 안을 웃음바다로 만들기도 했지만, 아프리카에 사는 동물들에 대해 벤만큼 아는 아이들은 없었다.

벤이 학교에 나간 지도 그럭저럭 일주일이 지났다. 앞으로 계속 책과 씨름해야 할 일을 생각하고 벤은 자기도 모르게 한숨을 쉬었다. 골치가 지끈거렸던 것이다.

미스 실리아는 벤의 그런 마음을 짐작하고, 용기를 가질 수 있도록 여러 모로 신경을 써 주었다. 벤은 미스 실리아의 도움으로 어려운 고비를 몇 차례 넘기면서 차츰 자신감을 얻어 갔다.

그러나 아직도 벤의 마음을 아프게 하는 일은 많이 있었다. 몇몇 아이들은 이따금 고아니 거지니 하고 벤을 놀렸다.

벤은 심지가 굳은 소년이었으므로, 남들이 뭐라고 하든 신경을 쓰지 않으려고 했다. 하지만 그런 소리를 들을 때마다 마음속으로는 슬픔을 참을 수가 없었다.

새로운 출발을 하면서 벤은 서커스단 생활을 깨끗이 잊으려고 애썼다. 그런데 아이들의 놀림을 받게 되면, 자기도 모르게 옛날 생각이 나서 괴로웠다.

우연히 뱁과 베티가 주고받는 이야기를 엿들은 미스 실리아는 비로소 벤의 괴로움을 알게 되었다.

'그런 모욕을 말없이 참고 견뎌 나가다니, 정말 기특해.'

미스 실리아는 그 일로 벤을 더욱 사랑하게 되었다.

어느 날 오후, 학교에서 돌아온 뱁과 베티가 번갈아 가며 미스 실리아에게 이야기했다.

"벤만큼 잘 뛸 수 없어서 분했는지, 샘이 벤을 거지라고 놀렸어요."

"벤도 화가 나서, 샘에게 돼지 우리에서나 살라고 쏘아붙였어요."

"샘은 약이 바짝 올라서 벤에게 '한번 싸워 볼래?' 하고 덤벼들었어요."

"그러자 벤은 슬쩍 피하면서, 너같이 힘없는 놈하고 무슨 싸움을 하느냐고 놀리듯이 말했어요."

"샘이 펄펄 뛰면서 화를 내는 바람에, 벤은 운동장 한쪽 구석에 있는 단풍나무 위로 쫓겨 올라갔어요. 그러는 걸 보고 우리는 집으로 돌아왔어요."

두 사람의 이야기가 끝나기를 기다려 미스 실리아가 물었다.

"그래, 아이들 중에서 누가 벤을 가장 괴롭히니?"

"샘하고 모스요. 둘 다 큰 애들이에요. 다른 애들도 그 애들에게는 못 당해요."

"그런데 선생님은 그러는 걸 보고만 계시니?"

"아마 선생님은 모르실 거예요. 벤은 한 번도 선생님께 그런 이야기를 안 했으니까요."

"우리가 미스 실리아에게 이런 얘기를 한 줄 알면, 벤은 화를 낼지도 몰라요. 그런데 그 애들은 정말 너무해요."

베티는 거의 울상이 되어 말했다.

"그래, 말해 줘서 고맙다. 벤을 위해서 무슨 좋은 방법이 없나 생각해 보자."

그 때, 도니가 웃는 얼굴로 들어왔다. 그는 뱁과 베티가 하는 이야기를 듣고 학교로 쫓아갔던 것이다.

뱁과 베티가 달려가서 물었다.

"벤은 어떻게 되었어요? 아직도 나무 위에 있어요?"

"아니, 벤은 나무 위에 없어. 샘은 아직도 나무 밑에서 벤이 내려오기를 기다리고 있지만……."

두 소녀는 눈을 동그랗게 떴다.

"어머, 그게 무슨 소리예요?"

"내가 갔을 때, 벤은 나무 위에 올라가 있고 샘은 그 밑에서 돌을 던지고 있었어. 그 뚱보 녀석은 내가 그러지 말라고 야단을 쳐도 막무가내였어. 그런데 바로 그 때 마른풀을 산더미같이 실은 마차가 나무 밑을 지나갔어. 그러자 벤은 눈 깜짝할 사이에 그 마차 위로 뛰어내렸어. 그 동작이 얼마나 빠른지, 미련한 샘은 미처 알아차리지 못하고 아직까지 나무 밑에서 기다리고 있지. 하하하!"

샘이 아무도 없는 나무 위를 쳐다보고 있는 꼴을 생각하며 모두 크게 웃음을 터뜨렸다.

"그럼 벤은 지금 어디 있어요?"

뱁이 물었다.

"아마 곧 이리로 올 거야. 샘 녀석, 그냥 두면 안 되겠어. 나쁜 녀석들이 벤을 놀리는 걸 보고만 있을 수는 없잖아."

"너도 곧잘 벤을 놀렸으면서……."

미스 실리아가 웃으며 말했다.

"그야 나는 벤을 위해서 그런 거니까, 샘하고는 근본적으로 다르지."

미스 실리아는 잠시 무엇인가 생각하는 듯하더니, 아이들을 둘러보며 말했다.

"며칠 있으면 벤의 생일이 돌아오는데, 이렇게 하면 어떨까? 그 애들을 모두 초대해서 멋진 파티를 여는 거야. 열심히 공부하고 있는 벤의 기운을 북돋우는 일이 될 것 같은데……. 그리고 우리가 모두 벤을 사랑하고 아낀다는 것을 알면, 그 애들도 다시는 벤을 괴롭히지 않을 거야. 싸워서 이기는 것보다 좋은 방법이라고 생각하지 않니?"

"좋아, 정말 멋진 계획인데! 나는 대찬성이야."

도니가 맨 먼저 찬성했다.

베티와 뱁도 손뼉을 치며 좋아했다.

"좋아요! 그렇게 해요!"

"그 자리에서 재미있는 연극을 한 편 공연하자. 그런데 어떤 연극이 좋을까?"

연극을 좋아하는 도니는 자기 솜씨를 자랑할 기회가 생긴 것을 기뻐하며 말했다.

"내 생각엔 '숲 속의 아기'가 좋을 것 같아요!"

베티가 의견을 내놓았다.

그러나 도니는 고개를 저었다.

"그런 건 재미없어. 머리털이 곤두설 만큼 무서운 공포극을 해야지.

뱁은 개구쟁이 역이 잘 어울릴 것 같은데……."

다음 날, 미스 실리아는 모스 부인과 함께 학교를 방문했다. 수업하는 모습을 보기 위해서였다.

워낙 작은 시골 학교였으므로, 1학년부터 6학년까지 한 교실에서 공부하고 있었다.

어른들은 항상 일에 쫓기며 바삐 살았으므로, 아이들이 공부하는 것을 살피러 학교에 오는 일은 거의 없었다. 그런데 미스 실리아와 모스 부인이 방문하자, 선생님은 물론 학생들 모두가 기뻐하여 교실 안이 떠들썩해졌다.

여자아이들은 뱁과 베티를 쳐다보며 생글생글 웃었다. 하지만 벤은 가슴이 두근거렸다.

마침 벤이 잘 하는 외우기 시간이었다. 선생님은 벤에게 윌리엄 루퍼의 시 '존 길핀'을 외우라고 시켰다.

벤은 그 시를 완벽하게 외웠다. 존 길핀이라고 하는 사람이 말을 타고 놀러 나갔는데, 말을 멈추지 못해 그만 목적지를 지나쳐 버렸다. 가까스로 말머리를 되돌렸는데, 이번에도 목적지를 지나쳐 집으로 와 버렸다는 재미 있는 내용의 시였다.

벤이 다 외우자, 선생님과 학생들은 모두 박수를 쳤다. 그런데 어쩐 일인지 교실 밖에서도 박수 소리가 났다. 도니가 산초를 데리고 와 있었던 것이다.

잠시 후 문이 살며시 열리더니, 산초가 벤의 모자를 뒤집어쓴 채 뒷발로 서서 교실 안으로 들어왔다. 그리고는 벤 앞에 멈춰 서서 앞발로 박수 치는 시늉을 했다. 그 바람에 교실 안은 웃음의 도가니로 변했다.

아이들은 웃다 못해 발까지 동동 굴렀다.
도니가 산초를 시켜 장난을 친 것이었다.
"산초, 얼른 나가지 못해!"
벤이 얼굴을 붉히며 소리쳤다.
그러자 산초는 재빨리 돌아서서 엉덩이를 흔들며 교실 밖으로 달아났다.
미스 실리아는 도니의 장난에 대해 선생님께 정중하게 사과했다. 그리고는 계속해서 다른 아이들이 외우는 것을 열심히 들었다.
베티는 얼굴이 발갛게 상기된 채, 마치 장단을 맞추듯 몸을 좌우로 흔들며 외웠다. 그 모습이 우스워 여기저기서 킥킥거리는 소리가 들렸다.
뱁은 고양이에 대해 쓴 시를 외웠는데, 고양이 흉내까지 내며 거침없이 외워 큰 박수를 받았다.
이윽고 수업이 끝났다.
선생님은 미스 실리아에게 수업을 참관한 감상을 말해 달라고 부탁했다.
미스 실리아는 선생님과 학생들을 번갈아 바라보며 말했다.
"여러분들의 외우기 실력을 직접 내 눈으로 확인할 수 있어서, 대단히 즐겁고 보람 있는 시간이었습니다. 여러분, 정말 훌륭해요. 그리고 오는 토요일은 벤의 생일입니다. 선생님과 여러분을 저희 집에 초대하고 싶은데, 모두 와 주시겠죠? 파티 후에 활쏘기 시합도 할 생각입니다. 물론 상품도 마련되어 있고, 저녁에는 간단한 연극을 보여 드릴 예정이니, 꼭 와 주시기 바랍니다."
뜻밖의 초대에 아이들은 좋아서 소리를 지르며 박수를 쳤다.
벤은 자기 생일을 위해 어떤 계획이 있다는 것을 어렴풋이 눈치채고 있었으나, 이 정도로 성대한 것일 줄은 생각도 못했으므로 얼떨떨했다.

운동장으로 나온 아이들은 벤에게 악수를 청하며, 생일 파티에 초대해 주어 고맙다고 인사를 했다. 벤의 얼굴은 기쁨으로 환해졌다.

초대의 효과는 곧 나타났다. 이번 생일 파티에 자기를 뺄까 봐 걱정이 되었는지, 샘은 주머니 속에 있던 사과를 꺼내어 벤에게 주며 휴전을 청해 왔다. 모스는 자기의 멋진 칼을 벤의 낡은 칼과 바꿔 주겠다고 했다.

집으로 돌아왔을 때, 도니는 모두들 있는 자리에서 활쏘기 시합에 참가하지 않겠다고 선언했다. 도니는 활을 아주 잘 쏘았다. 그런 도니가 상품만 내놓고 대회에 참가하지 않겠다는 것은 곧 벤에게 우승을 양보하겠다는 말이었다. 그러고 보면 도니는 벤에게 가장 멋진 생일 선물을 한 셈이다.

뱁도 활쏘기 대회에 나가기로 했다. 뱁은 미스 실리아로부터 영국의 빅토리아 여왕도 활을 쏘았다는 이야기를 듣고는 곧 '빅토리아 클럽' 이라는 것을 만들어, 그 동안 여자아이들끼리만 모여 활쏘기를 익혀 왔던 것이다.

그 결과, 뱁의 활쏘기 솜씨는 벤과 겨룰 만한 수준이 되었다. 그런데도 미스 실리아는 아침 일찍 일어나 뱁에게 활쏘기를 지도했다. 이번 기회에 우승을 함으로써 뱁이 자신감을 되찾았으면 해서였다.

베티도 미스 실리아와 마찬가지로 뱁의 우승을 바랐다. 그래서 다리가 아픈 것도 잊고 뱁이 쏜 화살을 주워다 주었다. 이와 같은 베티의 행동은 벤에 대한 산초의 정성에 결코 뒤지지 않는 것이었다.

생일 파티

마침내 벤의 생일날이 되었다. 만 열세 살이 되는 날이었다.

이 날은 점잖던 라일락 저택도 화려하게 단장을 했다. 굴뚝 꼭대기로부터 현관에 이르기까지 울긋불긋한 만국기가 걸려서, 집 전체가 마치 서커스단의 천막처럼 보였다.

마침 학교가 쉬는 토요일이었으므로, 아이들까지 합한 집안 식구 모두가 아침 일찍부터 일을 시작했다.

아침에 침대에서 눈을 뜬 벤은, 방 안에 여러 가지 멋진 선물이 가득 차 있는 것을 보고 놀라서 눈이 휘둥그레졌다. 그것들은 벤에게는 정말 분에 넘치는 선물들이었다.

그 중에는 개의 모양이 새겨져 있는 커프스 단추, 벤이 늘 갖고 싶어하던 가죽으로 된 말채찍도 있었다. 그것들은 사실 생일 선물이 아니었으나, 산초가 갑자기 돌아오는 바람에 줄 기회를 놓쳤던 것이다.

모스 부인의 선물인 잘 구운 과자 한 상자, 뱁과 베티가 솜씨를 다해 짠 빨간 장갑도 한 켤레 있었다. 두 사람이 각기 한 짝씩 짰는데, 뱁이 짠 것은 몹시 길고, 엄지손가락이 뾰족했다. 하지만 베티가 짠 것은 정반대로 넓적했다. 모스 부인은 어떻게든 양쪽을 같은 모양으로 만들어 보려고 애를 썼으나 소용이 없었다.

뱁과 베티는 창피하다며 얼굴을 붉혔지만, 벤은 오히려 왼쪽과 오른쪽을 구별하기가 좋다고 말해서 두 소녀를 기쁘게 했다.

벤은 뱁과 베티가 짜 준 장갑을 낀 채, 말채찍으로 바람을 가르면서 파티 준비로 바쁜 집안을 돌아다녔다. 선물을 한 사람들은 벤이 기뻐하는 모습을 보고 흐뭇한 미소를 지었다.

어느덧 점심때가 되었다. 모두들 점심을 먹고 옷을 갈아입었다.

파티는 2시에 시작될 예정이었으나, 조바심이 난 손님들은 벌써부터 가로수 길가에 모여 서성거리고 있었다.

초대하지도 않은 발로라는 꼬마가 맨 먼저 뒷문으로 들어왔다. 그는 푸른색 윗옷에 넓은 허리띠를 두르고, 깃털이 달린 모자를 쓰고 있었다. 마치 꼬마 로빈훗 같은 차림새였다.

발로는 막 옷을 갈아입은 뱁과 베티에게 다가왔다.

"네가 어쩐 일로 여기 왔지?"

베티가 물었다.

"활쏘기를 하러 왔지. 아빠가 활쏘기를 가르쳐 줬어. 과자도 있어? 난 과자를 좋아하는데."

그러면서 발로는 의자에 앉았다.

베티와 뱁은 서로 마주 보며 웃었다.

"과자? 얼마든지 있으니까 걱정 마. 그리고 초대받지 않았어도 미스 실리아는 반갑게 맞아 줄 거야."

베티의 말에 발로는 기분 좋은 듯 코를 벌름거렸다.

"실리아 아줌마는 나만 보면 놀러 오라고 했는데, 그 동안 바빠서 못 왔어. 홍역을 앓았거든. 너희들도 홍역을 앓았니?"

"홍역이야 우린 옛날에 앓았지. 홍역말고는 또 뭘 했지?"

"벌하고 싸웠어."

"그래, 누가 이겼지?"

"그야 물론 내가 이겼지. 내가 막 달리니까, 벌이 쫓아오지 못하더라고."

"활쏘기를 하러 왔다고 했지? 활을 쏠 줄 아니?"

"소도 쏘아 보았는걸. 그런데 소는 꿈쩍도 하지 않았어."

"발로, 엄마는 네가 여기 온 줄 아시니?"

"모르셔. 엄마는 마차 타고 볼일 보러 가셨는데, 난 그 틈에 온 거야."

"그렇게 엄마 몰래 다니면 못쓰는데……. 그런 애들은 천당에 못 간대."

"천당에 안 가도 돼. 천당에는 진흙도 없다면서? 난 진흙 장난을 하는 게 제일 좋거든."

꼬마 발로는 태연하게 말했다.

시계가 2시를 치자, 담장 너머로 기웃거리며 기다리던 손님들이 '가자!' 하고 소리를 지르며 담을 넘어서 마당으로 뛰어내렸다. 마치 싸움터에 나선 용사들 같았다.

미스 실리아는 옆구리에 활을 끼고 들어오는 여자 선수들의 행진을 보면서 감탄했다. 그리고는 발로에게 반갑다는 듯 악수를 청했다. 발로도 활짝 웃으며 미스 실리아의 손을 잡았다.

나머지 아이들이 우르르 몰려들었다. 아이들은 어서 빨리 활쏘기 시합을 하고 싶어 안달을 했다.

미스 실리아와 벤이 앞장을 선 가운데 행진이 시작되었다. 도니와 빌리가 피리와 북을 연주했다. 등에 활을 멘 아이들은 서로 팔짱을 낀 채 춤추는 것처럼 행진을 했다.

상품을 운반하는 일을 맡은 발로는 빨간 쿠션 위에 상품을 받쳐 든 채 기수인 페인 곁에 서서 잔뜩 으스대며 들어왔다.

페인이 들고 가는 깃발은 하얀 바탕에 활과 화살을, 그리고 그 주위에 푸른색 꽃무늬를 둘렀으며, 아래쪽에는 붉은 글씨로 '빌헬름 텔 클럽'의 머릿글자 WTC를 새겨 넣은 것이었다.

바로 벤이 만든 깃발이었다.

이윽고 행진이 끝나고, 과수원에서 활쏘기 대회가 막을 올렸다. 시합

전에 여러 가지 규칙이 정해졌고, 이어서 연습을 할 수 있는 시간이 주어졌다.

남자아이들은 여자아이들이 연습하는 모습을 보고 내심 당황했다. 대단치 않게 생각했던 그들 중 적어도 두 명은 만만한 상대가 아니라는 것을 알았기 때문이다.

그 두 명이란 바로 뱁과 샐리였다. 두 소녀는 긴장된 표정으로 자기들을 바라보고 있는 남자아이들의 눈초리를 당돌하게 받아냈다.

도니도 두 소녀의 활솜씨에 깜짝 놀랐다. 특히 뱁의 기세는 만만치 않았다.

은근히 걱정이 된 도니가 벤에게 달려갔다.

"뱁이 빌리보다 훨씬 나은데! 누나가 가르쳐 준 게 틀림없어."

"뱁쯤은 문제없으니까 염려 마."

벤의 얼굴에는 자신감이 넘쳤다.

'그러면 그렇지! 여자아이들이 활을 더 잘 쏜다는 건 말도 안 돼.'

비로소 도니도 마음을 놓고 제자리로 돌아왔다.

그러나 시합이 시작되자, 도니는 다시 긴장하기 시작했다.

도니는 심판이 되어 화살을 하나씩 쏠 때마다 점수를 적었다. 한 사람당 세 대씩 쏘아서 승부를 결정하기로 했는데, 한 차례 쏘고 나니 꽤 많은 탈락자가 생겼다. 두 번째에 가서는 반 이상이 떨어져 나갔다.

샘은 팔힘은 세었으나 솜씨가 서툴었다. 모스는 과녁을 제대로 맞추지 못했다. 샐리는 뱁에게 이기겠다고 단단히 별렀으나, 생각대로 되지 않았다. 언니의 안경까지 빌려 쓰고 나온 매리아 역시 과녁을 맞추지 못해 실패했다. 빌리의 화살은 아슬아슬하게 과녁을 빗나갔다. 결국 양 편에서 마지막으로 남은 사람은 벤과 뱁이었다.

벤과 뱁은 각각 두 대씩 쏘아 과녁을 맞추었다. 마지막 남은 한 개의 화살로 우승이 가려지게 되었다.

"힘내라, 벤!"

"뱁, 이겨라!"

아이들은 두 편으로 나뉘어 깃발을 흔들며 열렬하게 응원했다.

뱁은 조심스럽게 활줄을 당겨 보았다.

"서두르지 마라, 뱁! 네 솜씨가 좋다는 건 다 알고 있어. 넌 이긴 거나 마찬가지야!"

미스 실리아가 격려의 말을 했다.

그 순간, 뱁의 머릿속에 어떤 생각이 떠올랐다. 뱁은 그 생각을 실천에 옮기기로 작정했다.

"잘해라, 뱁!"

응원단의 요란한 함성 속에서 뱁이 화살을 날렸다. 그런데 화살은 과녁 한가운데서 약간 벗어났다.

결과를 발표한 다음, 도니는 벤에게 쏠 것을 명령했다.

벤은 처음처럼 자신만만하지는 않았다. 다만 입을 꼭 다문 채 과녁을 겨누었다. 가슴이 두근거리고 손가락이 떨렸으나, 힘껏 시위를 당겼다. 바람을 가르며 날아간 화살은 뱁의 화살 바로 옆에 가서 박혔다. 거의 눈에 보이지 않는 차이로 벤이 승리를 거두었다.

소년들은 모자를 던지며 기쁨의 함성을 질렀다. 여자아이들은 불만스럽게 '우우!' 하고 소리쳤지만, 뱁은 벤의 승리를 진심으로 축하해 주었다.

이윽고 벤은 요란한 박수갈채 속에 미스 실리아로부터 상품을 받았다. 상품은 은으로 만든 활 모양의 머리핀으로, 미스 실리아가 소중하게 머리에 꽂고 다니던 것이었다.

상품을 받아 든 벤은 뱁에게 다가갔다.

"조금 전의 시합은 사실 비긴 것과 다름없어. 그러니 이 상품은 네가 가져. 이렇게 예쁜 건 너에게 더 잘 어울릴 거야."

벤은 미소를 지으며 뱁의 머리에 머리핀을 꽂아 주었다.

그 광경을 보며 아이들은 모두 박수를 쳤다.

뱁은 활쏘기에 우승한 것보다 벤으로부터 그런 다정한 말을 듣는 것이 훨씬 기뻤다. 그것은 오빠의 사랑을 받는 여동생이 느끼는 기쁨이었다.

"산초를 잃어버렸던 일을 용서해 줘."

뱁이 벤을 똑바로 쳐다보며 말했다.

"뱁, 그 일은 벌써 오래 전에, 산초가 돌아왔을 때 마음속으로 용서했단다."

그 말은 진심이었다.

"그럼 이제 나를 싫어하지 않는 거지?"

"물론이지. 아니, 난 너를 싫어한 적이 없어. 난 항상 네 편이야. 넌 남자아이처럼 뭐든지 할 수 있으니까."

잠시 후, 아이들은 각자 흩어져 파티 음식이 마련된 곳으로 달려갔다.

미스 실리아는 흐뭇한 얼굴로 그들의 뒷모습을 바라보며 선생님과 나란히 의자에 앉았다.

"벤은 정말 좋은 아이예요."

선생님이 감동한 듯 말했다.

"네, 그래요. 뱁도 이따금 엉뚱한 짓을 하지만, 벤 못지않게 좋은 아이랍니다. 결단력과 실천력이 대단하지요. 벤의 개를 잃어버리고 줄곧 괴로워했는데, 모든 일이 잘 되어서 다행이에요."

미스 실리아의 말에 선생님은 고개를 끄덕이며 덧붙였다.

"학교에서도 그래요. 뱁은 얼마 전까지 친구에게 도시락을 주고 자기는 굶었답니다. 까닭을 물었더니, '제가 그 애에게 항상 검은 빵만 싸온다고 놀렸더니, 그 다음부터 도시락을 가지고 오지 않는 거예요. 그러니 제 도시락을 줄 수밖에요. 다른 사람을 놀리거나 비웃는 것은 잘못이라는 사실을 깨달았어요.' 하며 눈물을 흘리더군요."

"그래서 어떻게 하셨어요? 뱁이 그 애에게 도시락을 주지 못 하게 하셨나요?"

"아뇨. 반만 나눠 주라고 하고, 제 것 반을 보태서 주고 있어요."

"아, 그러셨군요. 선생님, 뱁이 도시락을 나눠 주는 그 친구네 사정이 어떤가요? 좀 자세히 이야기해 주세요. 어렵다면 제가 돕고 싶은데요……."

좀더 조용한 분위기에서 이야기하기 위해 미스 실리아와 선생님은 현관 쪽으로 자리를 옮겼다. 이 날의 파티는 선생님에게도 의미 있는 자리가 되었다.

아이들은 어른들이 이야기를 나누는 사이에 맛있는 음식을 잔뜩 먹었다.

저녁이 되자, 드디어 기다리던 연극이 시작되었다.

무대는 마차 차고를 고친 것이었는데, 문을 활짝 연 다음 빨간 테이블보로 막을 만들었다. 그 바로 옆 시바리타의 집 한쪽에는 악대가 자리를 잡았다. 차고 가장자리에 가지런히 걸어 놓은 램프는 훌륭한 조명이 되었다.

태어나서 연극이라는 것을 본 적이 없는 아이들은 잔뜩 기대를 하고 무대 위를 지켜보았다.

배우들이 분장하는 데 시간이 많이 걸리는지, 막 뒤에서는 계속 분주

하게 왔다갔다하는 것이 보였다.

도니와 미스 실리아는 지루해하는 아이들을 위해 막이 오르기 전에 '감자' 연극을 하기로 했다. 얼굴 모양을 그린 감자를 막대기에 꽂은 다음, 그 위에 헝겊으로 된 옷을 입히고, 그것을 손으로 들고 놀리면서 연극을 하는 것이다.

두 감자 인형은 처음에는 춤을 추더니, 서로 싸웠다. 그러다가 마침내 한 인형의 목이 떨어져 관객석으로 데굴데굴 굴러갔다. 아이들은 그것을 주워 신기한 듯이 들여다보며 즐거워했다.

잠시 후, 임시 극장의 지배인인 도니가 나와 곧 연극이 시작된다고 알렸다.

도니가 무대 뒤로 사라지자, 테이블보로 만든 막이 스르르 올라가고 '푸른 수염'의 무대가 나타났다.

푸른 수염 역할을 맡은 도니가 다시 무대 앞으로 나왔다. 먹으로 눈썹을 그리고, 푸른 털실로 만든 수염을 달고, 빨간 바지에 고무 장화를 신고 털망토를 걸쳤는데, 걸을 때마다 장난감 칼이 절그럭거리는 것이 제법 그럴 듯했다.

또 미스 실리아의 옷을 입고 머리에 하얀 깃털을 꽂은 뱁은 진짜 배우도 울고 갈 정도로 예뻤다. 베티는 하얀 옷에 장미가 달린 모자를 쓰고 여주인공의 언니로 꾸몄다.

벤과 빌리는 푸른 수염과 싸우는 여주인공 오빠들의 역을 맡았다. 허리에 무기를 잔뜩 매달고 있는 모습이 보기만 해도 섬뜩했다.

이윽고 연극은 막바지에 이르렀다. 푸른 수염 도니가 벤과 빌리의 칼에 쓰러지자, 관객들은 발을 구르며 우레와 같이 박수를 쳤다. 그 소리가 얼마나 요란했는지, 죽었던 도니가 일어나서 조용히 하라고 했을 정도였다.

두 번째로 공연한 작품은 '빨간 모자 아가씨' 였다.

이번에는 산초까지 출연했다. 객실에 깔려 있던 털가죽 깔개를 뒤집어쓰고 긴 꼬리까지 다니, 영락없는 늑대 같았다.

빨간 모자를 쓴 베티가 산초의 머리를 쓰다듬으며 무대에 올랐다. 이 늑대는 빨간 모자 아가씨를 잘 따랐으므로 연극은 순조롭게 진행이 되었다.

마지막 부분에 이르러, 산초가 침대에 누워 혀를 빼문 채 헐떡이는 꼴은 정말 늑대 같았다.

그 모양을 보고 감탄한 아이들은 손뼉을 치고 고함을 질러 댔다. 그 바람에 흥분한 산초가 그만 한 아이에게 달려들 뻔했다.

깜짝 놀란 베티가 황급히 산초의 다리를 붙잡았다. 서로 붙잡고 씨름하다 보니, 빨간 모자가 베티의 얼굴을 덮어 버리고 산초는 털가죽 깔개에 휘감겨 연극이 엉망이 되고 말았다.

그럭저럭 '빨간 모자 아가씨' 도 끝나고, 마침내 오늘 밤의 가장 중요한 순서가 다가왔다.

마지막 순서에 대해서는 아무에게도 알리지 않았다.

그래서 아이들은 과연 어떤 내용일까 몹시 궁금해하며 초조하게 기다렸다.

본 순서에 앞서 도니가 무대에 나와 인사를 했다.

"지금부터 보여 드릴 연극에는 생전 처음 무대에 서는 배우도 나옵니다. 따라서 여러분이 특별히 조용히 하지 않으면 사고가 날지도 모릅니다. 부디 차분한 분위기 속에서 보아 주실 것을 부탁드립니다. 또 한 가지 부탁드릴 것은, 배우들이 무대 밖으로 드나들기 좋도록 길을 좀 비켜 주시기 바랍니다."

도니가 인사를 마친 후, 조용히 막이 올라갔다. 무대 위에는 마치 서커스단의 말처럼 반짝이는 종이와 헝겊으로 꾸민 시바리타가 서 있었다. 그 등에는 황금의 관을 쓴 소년이 작은 활을 한 손에 들고 한쪽 다리로 균형을 잡고 서 있었다.

"아니, 저게 누구지?"

"글쎄, 잘 모르겠는데……."

관객석에서는 가벼운 술렁임이 일어났다.

소년은 마치 깃털처럼 몸놀림이 가벼워 보였다. 속이 들여다보이는 옷에는 반짝이는 별이 수없이 붙어 있었다. 그것은 바로 벤이 서커스단에서 입던 옷 그대로였다.

벤은 미스 실리아에게 딱 한 번만 서커스단에서 재주를 부릴 때와 같은 모습으로 무대에 서게 해 달라고 간청했다.

그 청을 물리치지 못한 미스 실리아는 마지막 무대를 허락해 주었던 것이다.

벤은 갑자기 말을 탄 채 무대에서 뛰어내려 과수원 쪽으로 내달렸다. 아이들이 놀라서 소리를 지르며 일어나는 것을 도니가 억지로 제자리에 앉혔다.

벤은 과수원을 한 바퀴 돈 다음, 뜰의 잔디밭으로 말을 몰면서 온갖 재주를 다 부렸다. 재주넘기, 물구나무서기, 손 놓고 달리기 등 달빛 아래서 재주를 부리는 벤의 모습은 뭐라고 말할 수 없이 멋졌다.

아이들은 감탄하여 환성을 올렸다.

"야, 멋지다! 진짜 서커스 같아!"

벤은 서늘한 밤공기를 헤치며 사과나무 사이로 시바리타를 몰았다. 마지막으로 시바리타와 한몸이 되어 과수원 울타리를 멋지게 뛰어넘은 다음, 벤은 휘파람 소리, 박수 소리가 요란한 관객 사이로 천천히 돌아왔다.

그러나 벤의 얼굴에는 조금도 자랑스러운 기색이 없었다. 아니, 오히려 화가 난 듯 표정이 딱딱하게 굳어 있었다.

도니가 얼른 달려와 말고삐를 잡아 주었다. 아이들은 우우 몰려들어 벤을 둘러싸고 찬사를 늘어놓았다. 그런데 웬일인지 벤은 아이들을 피해 재빨리 무대 뒤로 들어가 버렸다.

"이제 속이 시원하니, 벤?"

벤이 옷 갈아입는 것을 거들어 주면서 미스 실리아가 물었다.

"네."

"그런데 어째서 그렇게 표정이 어둡지? 피곤해서 그러는 거냐? 아니면 서커스단 시절로 되돌아가고 싶은 거냐?"

"그런 건 아니에요. 다만 갑자기 이 옷이 싫어졌을 뿐이에요."

벤은 머리에 썼던 관을 벗어던졌다. 그리고 자기 속마음을 어떻게 이야기해야 좋을지 모르겠다는 표정으로 미스 실리아를 바라보며 말을 이었다.

"나는 다른 애들과 똑같이 되고 싶어요. 미스 실리아도 제가 그렇게 되기를 원하시죠?"

"그야 물론 나도 네가 다른 애들과 같아지기를 바라지. 네가 먼저 그런 말을 해 주니 고맙구나. 나는 또 네가 옛날로 돌아가고 싶어하는 줄 알고 가슴이 철렁했다."

미스 실리아가 말했다.

"절대로 그런 건 아니에요……. 만일 아빠가 서커스단에서 내가 오기를 기다리신다면 또 몰라도……."

"내 생각엔 아빠가 서커스단에 계신다 해도 네가 지금처럼 모범적인 학생이 되기를 더 바라셨을 것 같은데……. 그건 그렇고 생일 파티는 마음에 들었니?"

"마음에 들고말고요. 이렇게 멋진 생일 파티는 태어나서 처음이에요. 정말 뭐라고 감사를 드려야 할지 모르겠어요."

그 말을 하는 벤의 눈에 눈물이 핑 돌았다.

그로부터 얼마 동안은 벤의 생일 파티가 아이들의 첫 번째 화젯거리였다.

그 성대한 생일 파티는 작은 마을의 아이들에게는 그야말로 경이로운 사건이었다. 하지만 시간이 지나자, 아이들은 다시 새로운 놀이에 정신이 팔려 그 일을 서서히 잊어 갔다.

늦가을로 접어들자, 온 마을 아이들은 산으로 밤을 주우러 다녔다. 학교에서는 겨울에 교실의 난로에 땔 통나무를 창고 앞에 높이 쌓아올렸다.

여자아이들은 그 통나무 더미를 넘어 창고 안에 들어가 놀기를 좋아했는데, 짓궂은 남자아이들은 여자아이들이 나오지 못하게 통나무로 창고 문을 막곤 했다. 여자아이들은 밖으로 나오기 위해 통나무를 밀어내려 하고, 남자아이들은 그것을 막으려 하는 바람에 다툼이 일어나곤 했다.

그러나 다툼이라고 해도 장난 비슷해서 다치거나 하는 일은 없었으므로, 보통은 선생님도 구태여 아는 체하지 않았다.

얼마 동안 잠잠하던 샘이 다시 벤을 놀리기 시작한 것은 통나무 싸움이 잦아지면서부터였다. 모스도 종종 샘의 편을 들었다. 하지만 벤은 참았다.

그러던 어느 날이었다. 드디어 하느님은 벤에게 멋진 복수의 기회를 허락했다.

그 날도 다른 날과 마찬가지로 통나무 싸움이 벌어졌다. 남자아이들이 이기자, 빌리는 북을 치면서 만세를 불렀다. 그것이 좋아 보였는지,

샘은 집에 가서 동생의 북까지 들고 왔다. 그런데 그 북을 칠 막대기가 없었다.

'아, 그래! 늪에 줄기가 굵은 잡풀이 많았었지. 그걸로 북을 치면 되겠구나.'

샘은 그 줄기를 하나 꺾어 와야겠다고 생각하고는 학교에서 돌아오자마자 늪으로 달려갔다.

그 늪은 마을 사람들 사이에서 '소 빠지는 늪'으로 불렸다. 언젠가 소가 그 근처에서 풀을 뜯다가 빠져 죽은 일이 있었기 때문이다. 소가 울부짖는 소리를 듣고 마을 사람들이 달려갔으나, 그 때 이미 소의 몸뚱이는 늪에 다 잠기고 뿔만 보였다.

그 일은 샘도 알고 있었다. 하지만 벤이 그 늪에 핀 꽃을 따다가 베티에게 주는 것을 본 적이 있었으므로, 자기도 쉽게 걸어다닐 수 있으리라고 생각했다.

그는 자기가 벤보다 얼마나 몸무게가 많이 나가는지 깜박 잊고 있었던 것이다.

샘은 무작정 풀이 우거진 늪 한가운데를 향해 걸어갔다. 그러나 몇 발짝 못 가서 발이 늪 속으로 빠져 들어가기 시작했다. 미처 소리를 지를 틈도 없이 샘은 배꼽까지 푹 잠기고 말았다.

샘은 늪에서 빠져 나오려고 가는 풀줄기를 움켜잡았지만 소용이 없었다. 몸부림칠수록 몸은 점점 더 깊이 빠져 들어갔다. 게다가 그 늪은 사람 다니는 길에서 멀리 떨어져 있었으므로, 소리를 질러도 들어 줄 사람이 없었다.

그 순간, 샘의 머릿속에 문득 그 늪에 소가 빠져 죽었다는 이야기가 생각났다.

소스라치게 놀란 샘은 있는 힘을 다해 울부짖기 시작했다.

"누구 없어요? 도와줘요! 도와주세요!"

목이 쉬도록 소리를 지르자, 어디선가 '어이!' 하고 대답하는 소리가 들렸다. 샘은 반가워서 자기도 모르게 눈물을 흘렸다.

잠시 후, 누군가 달려오는 발소리가 났다. 그런데 달려온 사람은 다름 아닌 벤이었다.

"벤, 도와 줘! 빨리!"

샘이 다급하게 소리쳤다.

벤은 늪가에서 걸음을 멈추더니, 시치미를 뚝 떼고 말했다.

"아니, 샘, 거기서 뭘 하는 거냐?"

샘이 그 동안 했던 일을 생각하면, 벤이 그러는 것도 무리가 아니었다. 더구나 늪에 빠져 허우적대는 샘의 모습은 누가 봐도 웃음이 나올 정도로 꼴불견이었다.

벤은 자기도 모르게 소리를 내어 웃었다.

샘은 약이 올라 주먹질을 하며 악을 썼다.

"남은 죽겠다는데 웃음이 나오니? 너 여기서 나가기만 하면 가만 안 둘 거야!"

"아이고, 무서워! 이거 겁나서 어디 살겠나!"

벤은 더욱 약을 올렸다.

샘의 몸은 그 사이에도 점점 더 늪 속으로 빠져 들어갔다.

"벤, 그러지 말고 제발 꺼내 줘! 이젠 더 이상 참을 수가 없어……."

비굴한 생각이 들었으나, 샘은 작전을 바꾸어 벤의 동정심에 호소를 했다.

벤은 착한 소년이었다. 평소의 그라면 벌써 샘을 늪에서 구해 주었을 것이다. 하지만 이번만은 달랐다. 샘을 혼내 줄 아주 좋은 기회를 그냥 놓칠 수는 없었다.

"샘, 곧 꺼내 줄 테니까 기다려. 그런데 그 전에 의논할 게 있어."

벤이 정색을 하고 말했다.

"의논이라고? 대체 무슨 소리야? 이젠 더 이상 못견디겠으니, 먼저 꺼내 주고 이야기해."

샘은 거의 빌다시피 하며 말했다.

"너야 물론 그러는 게 좋겠지. 하지만 네가 학교에서 내 머리를 툭툭 치면서 뭐라고 했지? '다 너를 위해서 이러는 거야.' 하고 말했잖아. 바로 그거야. 다 너를 위해서 이러는 거라니까. 자, 약속해. 앞으로는 절대로 내게 손을 대지 않겠다고. 만약 그 약속을 지키지 못하겠다면, 나도 지금 너를 꺼내 줄 수가 없어."

벤이 차분하게 말했다.

"그, 그래, 약속할게. 대신 너도 이 일을 아이들에게 소문내지 않겠다고 약속해 줘."

샘은 속이 부글부글 끓었으나 마지못해 대답했다.

"난 그런 약속은 할 수 없어."

벤은 냉정하게 고개를 저었다.

"그, 그렇다면 나도 네게 손을 대지 않겠다는 약속을 할 수 없지."

"그래? 그렇다면 할 수 없군."

벤은 몸을 돌려 왔던 길을 되돌아갔다.

샘은 애가 탔다. 몸은 자꾸 늪 속으로 빠져 들어가고 있었다. 벤이 가 버리면, 혹시 다른 사람이 와 준다고 해도 그 때까지 견딜 수 있을 것 같지 않았다.

샘은 자존심을 버리고 울부짖었다.

"벤! 벤! 기다려! 약속할게. 네 말대로 할게!"

벤은 회심의 미소를 지으며 되돌아왔다.

"진작 그럴 것이지. 그리고 또 한 가지, 방금 생각났는데, 앞으로는 뱁과 베티의 머리카락도 잡아당기면 안 돼. 어때, 약속할 수 있겠니?"

"그래, 그래, 약속할게. 약속한다고."

"만일 약속을 지키지 않는다면, 늪에 빠져 엉엉 울면서 내게 살려 달라고 애원했다는 얘기를 온 동네에 퍼뜨릴 거야. 알았지?"

"그래, 염려 마. 약속은 꼭 지킬 테니까."

샘은 대답을 하면서 자기가 잡고 있는 풀줄기를 바라보았다. 이미 뿌리까지 다 뽑혀 나와 있었다.

그제야 벤은 근처에 떨어져 있는 낡은 널빤지를 주운 다음, 샘이 있는 곳을 향해 조심스럽게 다가갔다.

그 위에 엎드려서 샘과 새끼손가락을 걸고 다시 한 번 약속을 했다.

그리고는 샘의 한 팔을 꽉 잡고 천천히 끌었다. 워낙 몸이 뚱뚱해서 늪가로 끌어 내는 데 몹시 힘이 들었다.

벤이 한참 그렇게 애를 쓴 끝에, 이윽고 샘은 허리 아래로 진흙투성이가 된 채 널빤지를 딛고 겨우 늪 밖으로 기어 나올 수 있었다.

두 사람은 냇가에 가서 몸을 씻었다. 그러면서도 샘은 시무룩한 표정으로 벤에게 눈길도 주지 않았다.

“죽을 뻔한 것을 도와주었으면 고맙다는 인사쯤은 해야 하는 거 아니야?”

벤은 그 말만 하고 샘을 냇가에 남겨 둔 채 가 버렸다.

아무튼 벤은 샘의 생명을 구해 준 은인이다. 비록 고맙다는 인사를 하지는 않았지만, 샘은 벤과의 약속을 어길 수가 없었다. 만일 그랬다간 자기가 늪에 빠져 엉엉 울던 이야기가 친구들 사이에 퍼질 것이기 때문이었다.

어찌 된 일인지 샘이 벤 앞에서 기를 펴지 못하는 것을 보고 아이들이 수군거렸다.

“샘이 갑자기 달라진 것 같지 않니?”

“글쎄……. 영 다른 사람처럼 보이는걸.”

샘이 전과 같이 아이들을 괴롭히려고 할 때, 벤은 새끼손가락을 까딱거리면서 ‘소 빠진…….’ 하고 말한다. 그러면 샘은 곧 풀이 죽어 슬슬 벤을 피했다.

아이들은 통나무 싸움조차 잊고 이 놀라운 변화에 대해 이야기를 주고받았다.

그 무렵의 어느 날, 벤은 다른 날과 마찬가지로 우체국에 가서 미스 실리아에게 온 편지를 찾아 가지고 왔다.

그 편지를 읽고 난 미스 실리아는 얼굴이 환해져서 도니에게 말했다.

"조지가 온대, 도니."
그리고 미스 실리아는 편지를 들고 방을 나갔다.
"무슨 일이지?"
벤이 궁금하다는 듯이 물었다.
"뭐, 별일 아니야. 조지가 돌아온대. 결혼을 하게 되었다는 뜻이지."
"아니, 도니가 벌써 결혼을 해요?"
난로 앞에 앉아 불을 쬐고 있던 베티가 놀라서 눈을 동그랗게 떴다. 그 바람에 모두 웃음을 터뜨렸다.
"나야 아직 멀었지. 누나가 결혼한다고. 물론 나도 결혼식에 참석해야지. 벤, 우리가 없는 동안 집안일을 잘 보살펴 줘."
"언제 떠나는 거죠?"
뱁이 호기심에 찬 얼굴로 물었다.
"내일 떠나야 될걸. 사실 누나는 일주일 전부터 떠날 준비를 하고 있었어."
"그럼 언제 돌아오나요?"
"글쎄, 그건 나도 잘 몰라. 누나는 되도록 빨리 돌아오고 싶어하던데……."
"도니, 너도 그 조지라는 분을 좋아하니?"
벤이 걱정스러운 듯이 물었다.
"그야 물론이지. 조지는 아주 재미있는 사람이야. 하지만 이제 목사가 되었으니, 전과는 달리 점잖아졌을지도 몰라."
"그분에 관해서 얘기 좀 해 줘요."
뱁이 졸랐다.
"누나와 함께 스위스의 세인트버나드 산에 갔을 때 처음 만났어. 산속에서 갑자기 폭풍우를 만나 산장을 찾아 들어갔지. 그 산장은 우리처럼 폭풍우를 피해 들어온 사람들로 시끌벅적했어. 그 때, 조지가 우리를 위해 방을 양보해 줬어. 그 일을 계기로 누나와 사귀게 되어 얼마 후에 약혼을 했지. 그런데 조지가 학교를 졸업하지 않았기 때문에 누나가 지금까지 기다린 거야."

"결혼한 다음에는 어디서 살 건데?"

벤이 물었다.

"그야 물론 여기서 살지. 조지는 이 근처에 있는 교회 일을 보게 될 거야."

"내가 계속 이 집에 있어도 될까?"

벤이 걱정이 되는 듯 물었다.

그러자 도니는 웃으면서 벤의 어깨를 탁 쳤다.

"무슨 소리를 하는 거야? 조지는 이미 너에 대해 알고 있어. 무엇보다 우리가 너를 좋아하는데 무슨 걱정이야?"

되찾은 행복

어느덧 바람이 싸늘해졌다. 가을이 깊어진 것이다.

미스 실리아와 도니가 집을 떠난 지도 몇 주일이 지났다.

어느 날, 벤이 숲 속으로 밤을 주우러 간 사이 뱁과 베티는 뜰에서 소꿉장난을 하고 있었다.

귀에 익은 휘파람 소리가 들려오자, 두 소녀는 얼른 돌아다보았다.

"어머, 벤이 왔나 봐! 밤을 얼마나 주워 왔을까?"

그러나 길모퉁이를 돌아 다가오는 사람은 벤이 아니라 처음 보는 낯선 남자였다.

"누굴까?"

"글쎄, 처음 보는 사람인데……."

두 소녀가 고개를 갸웃거리고 있는데, 그 사람이 미소를 띠며 불쑥 말을 걸어 왔다.

"아가씨들, 안녕!"

그 얼굴은 거무스름하고, 눈매가 다소 날카로웠다.

"안녕하세요?"

두 소녀는 어쩔 수 없이 인사를 했다.

"집에 어른들은 안 계시니?"

"엄마가 계세요."

"다행이구나. 저 집에 갔더니 모두 장례식에 갔다고 하던데."

그 사람은 언덕 위의 큰 집을 눈짓으로 가리키며 말했다.

"아, 지주 어른 댁에 가셨었군요."

"음, 나는 그분을 만나려고 왔단다."

"우리는 아저씨가 수상한 사람인 줄 알았어요. 하지만 무섭진 않아요. 벤이 온 뒤로는 낯선 사람도 반기게 되었거든요."

"벤? 벤이라고 했니?"

그 사람이 별안간 소리를 지르며 다가오는 바람에, 베티는 깜짝 놀라 뒤로 물러섰다.

"놀라게 해서 미안한데, 겁내지 말고 그 벤이란 아이에 대해 이야기해 다오."

그 사람이 간절하게 말했으므로, 뱁은 벤이 자기들과 함께 살게 된 경위를 간단히 설명해 주었다.

"그래, 너희들은 그 애하고 사이좋게 지내니?"

뱁의 이야기가 끝나자, 그 사람이 물었다.

"네, 우리도 벤을 좋아하고, 벤도 우리를 좋아해요."

"벤은 나를 제일 좋아해."
베티가 말했다.
"그래, 그럴 거야. 이렇게 귀여운 아가씨들이니……."
그는 두 소녀를 사랑스럽다는 듯이 바라보았다.
두 소녀는 대번에 그 사람이 좋아졌다.
"아저씨는 여기 처음 오셨나요? 어쩐지 전에 어디선가 만났던 분 같아요."
뱁은 기억을 떠올리려는 듯 눈을 가늘게 떴다.
"그럴 리가 있나? 난 너희들을 처음 보는데. 아마 나와 닮은 사람을 봤겠지."
그 사람은 한쪽 눈을 끔벅해 보이며 말을 이었다.
"나는 너희가 말하는 벤과 같은 소년을 찾고 있단다."
"혹시 서커스단에서 오셨나요?"
베티가 경계하는 듯한 표정으로 물었다.
"아니, 전에는 서커스단에 있었지만, 지금은 아니야."
"다행이에요. 우리는 서커스 구경은 좋아하지만 서커스단은 싫어하거든요."
미스 실리아의 말투를 흉내내어 뱁이 점잖게 말했다.
"우리는 무슨 일이 있어도 벤을 서커스단에 보내지 않을 거예요. 아마 벤도 가기 싫어할 거예요. 아저씨, 혹시 벤이 아저씨가 찾는 사람이면 어디로 데리고 가실 건가요?"
베티가 걱정스러운 듯 물었다.
"그건 그 애가 원하는 대로 해야지. 그런데 그 벤이라는 아이에게는 가족이 없니?"
"네. 아빠가 계셨는데, 캘리포니아에서 돌아가셨대요. 그 소식을 듣고 벤은 얼마나 울었는지 몰라요. 너무 불쌍해서, 우리는 우리 엄마를 조금 양보하기로 했어요."

"정말 착한 아가씨들이구나. 걱정 마라. 벤에게 친절을 베풀어 준 사람들의 말을 따를 테니까."

그 때, 휘파람 소리와 함께 산초가 짖는 소리가 들려왔다.

"벤이 왔나 봐!"

베티가 소리나는 쪽을 바라보며 말했다.

그 사람은 얼른 몸을 돌려 석양을 등지고 걸어오는 벤을 바라보았다.

먼저 산초가 그 낯선 사람에게 달려들어 반갑다는 듯 얼굴을 마구 핥았다.

벤은 우뚝 멈춰 서서 그 남자와 산초를 번갈아 바라보았다.

"벤, 아빠야. 아빠 얼굴도 잊은 거냐?"

그 사람이 떨리는 목소리로 말하며 벤에게 다가갔다.

그와 동시에 벤은 밤이 가득 든 자루를 땅바닥에 내동댕이치고 그 품을 향해 달려들었다.

"아빠! 아아, 아빠!"

산초는 얼싸안고 반가움의 눈물을 흘리는 두 사람의 주위를 미친 듯이 돌았다.

한동안 얼이 빠져 멍하니 서 있던 뱁과 베티는, 비로소 사정을 짐작하고 집 안으로 뛰어들어갔다.

"엄마, 얼른 나와 보세요! 벤의 아빠가 돌아오셨어요!"

"벤이 아빠를 찾았어요!"

모스 부인은 빨래를 하고 있다가, 두 딸이 소리치는 것을 듣고 깜짝 놀라 일어섰다.

"뭐라고, 그게 정말이냐? 그래, 지금 어디 계시니? 빨리 이리로 모셔 오너라!"

뱁이 밖으로 나가려 할 때, 산초가 집 안으로 들어왔다. 그 뒤로 벤과 아빠가 걸어오고 있었다.

그 모습을 바라보는 모스 부인의 눈에 눈물이 핑 돌았다.

"벤은 아빠를 꼭 닮았구나. 누가 보든 벤의 아빠라는 걸 한눈에 알겠어."

아빠와 아들은 얼굴뿐만 아니라 걷는 모습까지 비슷했다.

그들은 다시는 헤어지지 않겠다는 듯이 두 손을 꼭 잡고 천천히 걸어왔다.

"브라운 씨죠? 잘 오셨어요. 정말 반가워요."

모스 부인은 눈물을 닦으며 벤의 아빠에게 악수를 청했다.

"감사합니다, 모스 부인. 우리 아이에게 베풀어 주신 친절에 어떻게 보답해야 좋을지 모르겠군요."

벤의 아빠 브라운 씨는 모스 부인의 손을 마주 잡으며 고개를 숙였다.

그날 밤, 벤의 아빠는 그 동안의 일을 자세히 이야기했다.

스미더스 단장의 부탁으로 말을 사러 갔던 브라운 씨는 그만 말발굽에 채여 정신을 잃고 병원에 입원했다.

몇 달이 지나서야 겨우 기운을 차려 서커스단으로 돌아갔으나, 그 때 이미 벤은 그 곳을 떠나고 없었다.

그 후로 벤을 찾아 안 다닌 곳이 없는데, 지칠 대로 지쳐 서커스단으로 갔다가 마침 모리스 씨가 보낸 편지를 보고 벤이 이 곳에 있다는 것을 알게 되었던 것이다.

"고생 많이 하셨군요. 그래도 이렇게 아드님을 만났으니 다행이에요."

그리고 모스 부인은 미스 실리아 덕분에 그 동안 벤이 잘 지내 왔으며, 학교에도 다니게 되었다는 이야기를 한 다음 물었다.

"앞으로는 어떻게 할 생각이세요?"

브라운 씨는 잠시 생각한 다음 말했다.

"할 일만 있다면, 이 곳에서 자리를 잡아 살고 싶습니다. 그래야 그 동안 벤에게 베풀어 주신 친절에 보답할 수 있을 테니까요."

그로부터 얼마 후, 브라운 씨는 모스 부인과 모리스 씨의 주선으로 원하던 대로 근처 목장에서 일하게 되었다.

하루의 일이 끝나면, 브라운 씨는 반드시 벤을 만나러 라일락꽃이 피는 집으로 왔다. 그리고 모스 부인이 사는 문간채에서 함께 차를 마시곤 했다.

브라운 씨는 뱁과 베티에게 친아버지처럼 다정하게 대해 주었다. 뱁과 베티도 그의 곁을 떠나지 않고 어리광을 부렸다. 그 동안 얼마나 아빠의 사랑이 그리웠으면 그럴까 싶어서, 모스 부인은 그런 모습을 보며 남몰래 눈시울을 붉혔다.

그런데 얼마 지나지 않아, 벤에게는 다정한 엄마, 뱁과 베티에게는 믿음직스러운 아빠가 생겼다. 그 엄마와 아빠가 누군지는 말하지 않아도 알 것이다.

미스 실리아와 도니가 라일락 저택을 떠난 지도 어느덧 한 달이 지났다.

아빠를 만나고 나서 맨 처음 맞는 일요일, 벤은 아빠에게 함께 교회에 가자고 말했다.

"교회에 가자고? 네 엄마가 세상을 떠난 뒤로는 교회에 간 적이 없었는데……."

“미스 실리아가 마음에 근심이 있을 때나 기쁜 일이 있을 때 교회에 가면 좋다고 했어요. 그 말이 맞았어요. 아빠가 돌아가셨다는 소식을 들었을 때, 난생 처음 교회에 가서 기도했어요. 하느님이 그 기도를 들어주셔서 이렇게 아빠가 무사히 돌아오셨으니, 다시 교회에 가 보고 싶어요.”

“그래, 가자. 교회에 가서 그 동안 너를 돌보아 주신 분들에게 감사를 드려야지. 곧 뒤따라갈 테니, 너 먼저 가거라. 이런 옷차림으로 갈 수는 없잖니.”

얼마 후 브라운 씨가 교회에 도착하니, 벤은 그 때까지 안에 들어가지 않고 돌층계에 앉아 있었다.

“아빠하고 함께 들어가고 싶었어요. 나 혼자 들어가면, 내가 마치 아빠를 부끄럽게 여기는 것처럼 생각할지도 모르니까요.”

벤과 아빠가 교회에 들어서자, 모리스 씨가 반갑게 맞아 주었다.

“어서 오시오, 브라운 씨.”

목사님의 설교가 끝난 후, 모리스 씨가 벤에게 말했다.

“아빠와 함께 우리 집에 들렀다 가거라. 미스 실리아에게서 편지가 왔거든.”

미스 실리아의 편지에는 다음과 같은 내용이 씌어 있었다.

사랑하는 벤

그 동안 닫아 두었던 대문을 활짝 열어 놓아 주겠니? 그리고 그 근처를 깨끗하게 청소한 다음, 언젠가 네가 만든 깃발도 걸어 두어라……. 우리는 이번 토요일에 돌아갈 예정이니, 그 때까지 잘 있거라.

미스 실리아

"미스 실리아가 토요일에 오신대요!"

벤은 편지를 흔들면서 모스 부인에게 뛰어갔다.

곧 미스 실리아와 새 주인을 맞이할 준비가 시작되었다. 모스 부인은 물론이고, 뱁과 베티, 그리고 벤까지 모두가 열심히 집 안팎을 쓸고 닦았다.

마침내 토요일이 되었다. 오랫동안 닫혀 있던 대문이 활짝 열렸다.

브라운 씨도 토요일에는 오전에만 일을 했다. 그는 처음 만나는 아들의 은인을 위해 일이 끝나자마자 라일락 저택으로 달려와 환영 준비를 도왔다.

모든 준비가 다 되어, 이제 한 시간만 있으면 미스 실리아 일행이 탄 마차가 도착할 것이다.

"방마다 불을 지펴 놓아야겠어요."

모스 부인이 가정부 란다에게 말했다.

그 말을 뱁이 들었다.

"굴뚝이 무너진 곳이 몇 군데 있어서, 불을 지펴서는 안 되는 방이 있어요."

란다가 대답했다.

그런데 뱁은 란다의 대답을 듣지도 않고 밖으로 나갔다. 자기가 불을 피워야겠다고 생각했던 것이다.

잠시 후, 뱁은 장작을 한 아름 안고 한 방으로 들어가서 난로에 불을 지폈다. 일이 잘못되느라 그랬는지, 마침 그 방의 굴뚝이 가장 심하게 무너져 있었다.

뱁이 불을 지피고 얼마 지나지 않았을 때였다. 굴뚝에서 윙윙거리는 소리가 나더니, 검댕과 제비 둥지 따위가 불똥과 함께 밑으로 떨어져

내렸다.

'아니, 왜 이러지?'

뱁은 불똥을 밟아 끄고는 고개를 갸웃거리며 밖으로 나왔다.

모두들 자기 맡은 일에 정신이 팔려 있었으므로, 굴뚝 밖으로 불길이 번져 나온 것을 본 사람이 없었다.

벤이 아빠와 함께 대문을 손질하고 있다가 맨 먼저 지붕에서 연기가 솟는 것을 발견했다.

"아빠, 저기서 연기가 나요!"

브라운 씨는 대뜸 위험한 상황이라는 것을 깨달았다.

"앗, 불이 났구나!"

두 사람은 허둥지둥 연기가 나는 쪽으로 달려갔다. 벌써 지붕 여기저기에서 불꽃이 날름거리고 있었고, 굴뚝에서는 마치 불꽃놀이를 할 때처럼 불똥이 튀어나오고 있었다.

"벤, 어서 담요를 물에 적셔 가지고 오너라! 나는 호스를 찾아 봐야겠다."

"네, 아빠!"

벤은 재빨리 집 안으로 달려들어가 담요를 꺼내 왔다.

브라운 씨가 호스를 찾아 뜰에 있는 소화전에 꽂았을 때, 벤은 이미 다람쥐처럼 지붕으로 올라가 물에 적신 담요로 불붙은 굴뚝을 덮고 있었다.

안에 있던 모스 부인은 난로 뚜껑을 닫아서 산소가 들어가는 것을 막았다. 그리고 떨어지는 불똥을 계속 발로 밟아 껐다.

호스가 짧아서 지붕까지 물을 끌어올릴 수가 없게 되자, 브라운 씨는 양동이에 물을 담아 두 손에 들고는 날쌘 표범처럼 지붕 위로 잽싸게 올라갔다.

보통 사람으로서는 엄두도 못 낼 일이었다. 아무튼 브라운 씨의 활약으로 우선 급한 불길은 잡을 수 있었다.

벤은 물통을 들고 지붕 위를 올라다니며 불을 끄고 있었다. 베티도 제딴에는 거든답시고 마당에서 국자를 들고 연신 물을 뜨는 시늉을 했다.

모두들 새까맣게 검댕을 뒤집어쓰면서 불길을 잡느라고 정신없는데, 무슨 일이 생길 때마다 나서기 좋아하는 뱁은 어디로 갔는지 보이질 않았다.

“브라운 씨가 아니었으면 이 아름다운 집은 흔적도 없이 사라졌을 거예요. 정말 뭐라고 감사를 드려야 할지 모르겠군요.”

모스 부인은 연기 때문에 코밑이 새까매진 채 브라운 씨에게 감사의 말을 했다.

“어찌 됐든 이만하길 다행입니다. 굴뚝이 좀 망가졌지만, 곧 고칠 수 있을 겁니다. 그런데 도대체 누가 난로에 불을 지폈을까요?”

“글쎄요……. 혹시 아이들이 불장난을 한 게 아닐까요?”

란다가 고개를 갸웃거렸다.

모스 부인은 비로소 뱁이 보이지 않는 것을 알아챘다.

“베티, 가서 뱁을 찾아오너라.”

베티는 곧 산초를 데리고 뱁을 찾아 나섰다.

뱁은 산초의 집 속에 머리를 틀어박은 채 엎드려 있었다.

“언니, 왜 이러고 있어? 모두 언니를 찾느라고 야단인데…….”

“베티, 집이 다 타 버렸니?”

뱁이 겁에 질린 얼굴로 물었다.

“아니, 괜찮아. 지붕이 약간 탔을 뿐이야. 나도 불을 껐어.”

베티는 자기도 불을 껐다는 것을 강조했다.

"난로에 불을 지핀 사람은 벌을 받겠지?"

"글쎄, 그건 나도 몰라. 하지만 아마 미스 실리아는 용서해 주실 거야."

뱁은 개집에서 안 나오려고 버티다가 베티가 다리를 잡아당기는 바람에 어쩔 수 없이 끌려나왔다.

머리가 온통 짚투성이가 된 채 모스 부인 앞으로 간 뱁은 울먹이며 고개를 숙였다. 그런데 바로 그 때, 문 밖에서 마차가 서는 소리가 들렸다.

그 덕분에 뱁은 엄마의 꾸지람을 면할 수 있었다.

미스 실리아는 남편 조지의 시중을 받으며 마차에서 내리고 있었다.

"어서 오세요. 결혼을 진심으로 축하합니다."

모스 부인은 축하의 인사를 한 다음, 뱁이 저지른 일에 대해 사과했다. 그리고 브라운 씨 덕분에 위험을 면할 수 있었다고 덧붙였다.

미스 실리아는 브라운 씨에게 다가가 손을 내밀었다.

"반갑습니다, 브라운 씨. 우리 집이 재가 될 뻔한 것을 막아 주셨다니, 뭐라고 감사의 말씀을 드려야 할지 모르겠군요."

"별말씀을……. 오갈 데 없는 우리 벤을 돌보아 주신 은혜에 비긴다면, 그 일은 정말이지 아무것도 아닙니다."

미스 실리아는 거듭 감사의 말을 하고는, 남편 조지를 사람들에게 소개했다.

미스 실리아로부터 듣고 가족들에 대해 잘 알고 있었던 조지는, 처음 만났는데도 오래 전부터 알고 지낸 것처럼 친밀감을 보였다.

조지는 특히 벤과 만나게 된 것을 기뻐했다.

"아, 벤! 네가 바로 벤이로구나. 나는 너에 대해 잘 알고 있단다. 아빠를 만나게 되어서 정말 다행이다."

그 후로 라일락 저택의 대문은 늘 활짝 열려 있어, 마을 사람들은 마치 자기 집처럼 자유로이 드나들었다. 부자나 가난뱅이나, 늙은이나 젊은이나, 혹은 기쁜 사람이나 슬픈 사람이나, 이 집에서는 누구나 차별없이 환영을 받았다.

작품 알아보기
(장편문학)

〈라일락꽃 피는 집〉은 〈작은 아씨들〉의 작가인 올콧의 또 다른 작품이다. 〈작은 아씨들〉과 마찬가지로 인물들은 모두 밝고 아름다운 마음을 가졌다.
이 작품에서 보이듯 고난과 역경을 딛고 행복을 찾는 것이 올콧의 작품에 공통적으로 나타나는 특징이다.
어느 날 서커스단에서 도망쳐 나온 벤은 삽살개 산초와 함께 우연하게 라일락꽃 피는 집으로 오게 된다.
그곳에서 미스 실리아, 모스 부인, 뱁, 베티, 도니, 모리스 씨 같은 좋은 친구들과 어른들을 만나 즐거운 생활을 하는 도중 아버지가 죽었다는 소식을 듣고 슬픔에 빠진다.
거기다 뱁의 실수로 애완견 산초까지 잃어버리게 되어 벤은 또 다시 시름에 젖는다. 그러나 벤은 주위 사람들의 위로와 때마침 나타난 산초 덕분에 슬픔에서 벗어난다.
게다가 죽은 줄 알았던 아버지도 라일락꽃 피는 집으로 찾아와 함께 생활하면서 라일락꽃 피는 집은 행복으로 가득 찬다.
이 작품에서는 주인공 벤이 겪는 일련의 사건을 통해서 알 수 있는 것처럼 자기가 원하는 바에 대하여 조급하게 굴지

(장편문학)

않고 꾸준히 기다리면 이루지 못할 것이 없다는 강한 의지와 자신감을 배울 수 있다. 또한 벤처럼 아름답고 깨끗한 마음씨를 잃지 않고, 서로 사랑하며 아끼는 생활 태도를 지녀야 한다는 값진 교훈도 얻을 수 있을 것이다.

논술 길잡이
(장편문학)

❶ 다음은 라일락꽃 피는 집의 모습을 묘사한 부분이다. 우리 집의 모습을 이 글처럼 그림을 그리듯이 나타내 보자.

정문에서 현관까지의 길에는 납작한 돌들이 깔려 있었다. 그 길 양쪽에 여러 종류의 나무가 빽빽이 들어차 있었는데, 그 가운데쯤에 나무 기둥을 세우고 그 위에 널빤지를 얹은 식탁이 놓여 있었다. 그렇게 만든 식탁 위에는 낡은 체크 무늬 숄이 덮여 있고, 예쁜 커피 잔도 놓여 있었다. 빨리 파티가 시작되기를 기다리고 있는 듯했다.

논술 길잡이
(장편문학)

❷ 아래 그림은 벤이 라일락꽃 피는 집과 처음 인연을 맺게 되었을 때의 상황을 나타낸 것이다. 그림을 보고 어떤 상황인지 설명해 보자.

논술 길잡이
(장편문학)

❸ 다음은 모스 부인이 마찻간에서 벤을 발견한 후의 심정을 나타낸 부분이다. 이 부분을 통해 모스 부인은 어떤 사람인지를 유추해서 써 보자.

모스 부인은 눈물을 글썽이며 말을 잇지 못했다.

열두 살밖에 안 된 아이가 이틀 동안이나 곰팡내 나는 마차간에서 개가 물어 오는 빵부스러기로 굶주림을 달랜 것을 생각하니 너무 불쌍했던 것이다. 모스 부인은 애써 냉정해지려고 했지만, 자기도 모르게 눈물이 뺨으로 흘러내렸다.

논술 길잡이
(장편문학)

❹ 모스 부인과 함께 살게 된 벤은 매일 반복되는 단조로운 생활이 지루해서 라일락꽃 피는 집을 떠나려고 한다. 그러다가 마음을 바꾸어 그 집에서 계속 살기로 결심하는데 그 이유는 무엇인지 써 보자.

❺ 이 소설에는 귀엽고 영리하며, 벤을 위해서 충성을 다하는 개 산초가 나온다. 산초와 같은 충성스러운 개가 나오는 이야기를 찾아 읽고, 그 줄거리를 써 보자.

논술 길잡이
(장편문학)

❻ 아래 글처럼 벤은 어린 나이에 많은 시련을 겪었다. 벤에게 따뜻한 위로와 격려가 되는 내용의 편지를 써 보자.

열두 살짜리 소년 벤. 그에게 연달아 닥친 사건은 참으로 견디기 힘든 것이었다.

엄마의 포근한 사랑을 모른 채 어린 시절을 보내고, 힘든 서커스단 생활을 벗어나자마자 아빠마저 잃었다.

세상에 의지할 곳 없는 외로운 처지였으나, 모스 부인 덕택에 이 마을에 머무르면서 일도 하고 돈도 벌며 안정된 생활을 하게 되었다. 그러다가 형제와 같은 산초를 잃어버렸다.

논술 길잡이
(장편문학)

❼ 이 작품은 가족과 이웃들 간의 잔잔한 사랑을 보여 준다. 이 이야기를 통해서 살아가는 데 있어서 진정한 행복이란 무엇인지 생각해 보고 쓰라.

❽ 올콧의 다른 작품을 찾아 읽고, 올콧의 소설에 나타나는 전반적인 특징은 무엇인지 써 보자.

논·술·세·계·대·표·문·학 〈전60권〉

펴 낸 이 정재상
펴 낸 곳 훈민출판사
주 소 경기도 고양시 덕양구 원당동 416번지
대표전화 (031)962-3888
팩 스 (031)962-9998
출판등록 제395-2003-000042호